징검다리

징검다리

우아성
아롬
최마리
진용
이세원
은초희
올린
조환석

들어가며

'산다는 건 그런 게 아니겠니 원하는 데로만 살 수는 없지만 알 수 없는 내일이 있다는 건 설레는 일이야 두렵기는 해도 산다는 건다 그런 거야 누구도 알 수 없는 것' (여행스케치의 '산다는 건다. 그런 게 아니겠니')

어렸을 적 학교 선생님이 들려주셨던 이 노래의 가사가 하나둘 나이를 먹고 나니 비로소 귀에 들어옵니다. 산다는 건 무엇일까요? 왜 계속하고 싶은 것만 하고 살 수는 없을까요? 아쉽게도 우리는 모두 한 번뿐인 이 인생의 초짜들 이기에 확실한 답을 줄 사람은 없습니다.

다만, 동서고금을 막론하고 계속해서 궁리하고 탐구하고 고민한 것들을 무언가로 창조할 뿐이죠. 여기 아홉 명의 작가들도 그런 의문들이 스며든 각자만의 이야기를 한데 모아 다듬어 열심히 창조해 보았습니다. 그리고 그 이야기들을 하나씩 놓아 '징검다리'를 만들었네요.

다 만들고 나니 어느새 이 징검다리를 건너 그 다음 장소로 넘어오게 되었습니다. 인고의 시간을 거쳐 무언가를 통과한 이후의 삶은 절대 그 전과 같을 수 없습니다. 그러니 이 징검다리를 만들며 건너는 동안 우리도 분명 달라졌겠지요? 달라진 우리에게는 또 다른 징검다리를 만들 수 있는 다양한 재료들이 품어지고 있습니다.

다시 노래 가사의 내용으로 돌아와서 생각해 보면, 결국 산다는 건 원하는 대로만 살 수도 없고 너무 두렵기도 하지만 이렇게 혼자, 또는 다른 사람들과 같이 만든 징검다리들이 있기에 용기를 내어 건너면서 그 다음에 있을 여정을 위해 나서는 일이 아닐까요? 거기에 설렘은 보너스고요! 이 글을 읽는 모든 사람들로 혼자 혹은 같이 징검다리를 만들어가며 새로운 삶의 여정에 설렘을 느낄 수 있었으면 좋겠습니다.

- 공동저자 中 올린

차 례

운동합니다. 지금도, 앞으로도.

우아성

우아성

2023년부터 집 근처 헬스장에 다니기 시작했다. 당해 하반기에 PT를 신청했다. 샤워한 후 상쾌함을 좋아하며 자기 계발 영상을 자주 본다. 성공, 부자, 자수성가에 관심이 많다. 식단을 유지하려고 노력하며, 2024년 목표 중 하나로, 헬스장에 매일 출석하기가 있다.

blog: blog.naver.com/anelegantstyle

내가 운동을 시작하게 된 이유

나는 내가 이렇게 헬스장을 오래 이용하게 될 줄은 몰랐다.

엄마는 건강에 민감하다. 가족력 때문이다. 아버지 가족은 병이 없는데, 어머니 가족은 갑상샘 기능 저하증으로 인한 피로, 당뇨, 유방암 등을 가지고 있다. 젊을 때 관리하지 않으면 큰일난다고 어머니는 입버릇처럼 말했다. 지금 운동하지 않으면 미래의 나는 어떤 모습일까? 피로에 못 이겨 침대에 누워있고, 매일 약을 먹고, 약을 얻기 위해 주기적으로 병원에 다니는 모습을 원하는가? 나는 그렇게 되지 않기 위해 운동을 시작했다.

2022년 11월, 비어있는 상가 5층에 헬스장이 들어온다는 소식이 들렸다. 이전에도 그곳은 헬스장이었다. 사전 회원 모집으로 기존의 금액보다 싸게 가입했다. 나는 지금도 다니고 있다. 공사 이전의 헬스장을 기억한다. 대학 신입생 첫 학기를 끝내고 집에서 빈둥대던 나는 어머니의 성화에 못 이겨 집 근처 헬스장에서 3개월 회원권을 끊었다.

나와 상담한 사람은 관장이었고 운동을 가르치는 트레이너였다. 이때는 퍼스널 트레이닝이란 단어가 없던 시절이었다. 헬스장은 PT보다 에어로빅, 요가로 홍보했다.

문을 열면 바로 옆에 에어로빅, 요가를 위한 공간이 있었다. 다양한 운동 기구들과 유리창 근처에 러닝 머신들이 줄지어 놓여 있었다. 가장 안쪽 작은 공간이 프리 웨이트 구역이었다.

아침 에어로빅 수업에는 경쾌한 음악과 빠른 박자에 맞춘 여성 회원들의 격렬한 구호가 울렸다. 수업이 끝난 후에는 여자 샤워실을 사용할 수 없었다. 프리 웨이트 구역은 보디빌더 같은 남자들만 이용했다. 일반 회원들은 러닝 머신을 자주 사용했다. 나 또한 그들과 같았다. 러닝 머신 위를 몇십 분을 걸으며 땀이 났으면 운동했다고 생각했다. 개강하고 나는 헬스장을 찾지 않았다. 어느 날 저녁, 상가 5층의 불이 새까맣게 점멸된 것을 보았다. 헬스장이 폐업했다. 이후 나는 40분 거리에 있는 종합 운동장을 이용했다. 트랙을 걷거나 뛰었다. 운동을 마치고 집으로 가는 중, 행정복지센터 안내 게시판이 보였다. 여성회관 하반기 교육 수강생 모집. 여성회관에서 하는 교육 프로그램 중 눈에 먼저 들어온 것은 필라테스였다. SNS에서 여성들이 자주 한다는 그 운동. 궁금해진 나는 기간에 맞춰 필라테스를 등록했다.

필라테스는 주 2회, 오후 2시부터 4시에 끝나는 수업이었다. 준비물은 따로 필요 없었다. 몸에 붙는 옷으로, 짧은 소매 티셔츠에 스포츠 바지를 입었다. 하지만 준비물은 있었다. 개인 요가 매트와 필라테스 전용 양말이 필요했다. 강의실은 요가 수업과 같이 사용했다. 강의실한쪽에 요가반 회원들이 사용하는 개인 요가 매트와 필라테스 도구들이 있었다.

수강생들은 대체로 40~60대의 여성들이었다. 20대, 30대는 나를 포함한 3명이었다. 첫 수업은 괜찮았다. 이대로만 간다면 계속 다녀도 괜찮겠다고 생각했다. 착각이었다. 첫 수업은 게임 튜토리얼이었고 본 게임은 두 번째 수업부터였다. 한 발로 서서 중심을 잡는 게 왜 그리 힘들까. 다리가 덜덜 떨리고 몸은 기울어지는데 바로 잡기가 어려웠다. 이후에 수업마다 폼롤러, 밴드, 공, 링피트라는 다양한 도구를 수업마다 돌아가며 사용했다. 수업 마지막에는 폼롤러 위에 누워서 깊게 숨을 내쉬며, 땀에 젖은 몸을 축 늘어뜨렸다.

수업이 끝나고 신발을 신고 있는 내게 필라테스 강사가 다가왔다.

"운동 신경이 좋으시네요. 필라테스 전문적으로 배워보는 건 어때요?"

"그래요? 저는 버티는 것만으로 힘들던데."

"아니에요. 꾸준히 하면 저보다 더 잘 가르치실 것 같아요."

"아, 진짜요? 감사합니다."

그때의 나는 자신이 없었던 것 같다. 하지만 강사님의 제안은 지금도 사진처럼 기억에 남았다. 그 질문을 받던 날, 나는 생각했다. 내가 잘할 수 있는 능력이지 않을까, 스스로 기대하게 되었다. 이게 내가 운동을 계속하겠다고 결심한 이유다.

2022년 11월의 마지막 날, 수강생들과 함께 필라테스 종강 축하 회식을 열었다. 점심시간에 만나 다 함께 수업을 들으러 여성회관으로 가는 길이었다. 각자 이야기를 하며 걷고 있었다. 필라테스 강사님은 내게 물었다.

"이 수업 끝나면 생각해 둔 수업이 있나요? 다음 상반기에도 필라테스 신청할 건가요?"

"어, 저는 헬스장을 다녀볼 생각이에요. 필라테스를 배우면서 제가 체력이 부족하다는 걸 느꼈거든요. 마침 근처에 헬스장이 열려서…."

2022년 12월 5일 월요일, 나는 집 근처에 새로 오픈한 헬스장에 들어왔다. 처음에는 혼자 운동을 시작했다. 접수처 데스크에 앉아있던 트레이너에게 기구 사용법을 가르쳐달라고 부탁했다. 그 이후로 그때 배운 운동 기구들로만 번갈아 반복했다.

2023년 8월, 인바디를 측정했다. 몸무게에 크게 변화가 없었다. 나는 그나마 운동하고 있어서 이 상태를 유지하고 있다고 생각했다. 하지만 이렇게까지 없다고? 내가 잘못 운동하고 있는 게 아닐까? 의문이 생겼다. 그때 벽에 걸린 포스터가 눈에 보였다. 여름맞이 PT 이벤트가 진행되고 있었다.

내가 이런 사람이에요.

나는 트레이너가 하체 운동을 하자고 하면 긴장된다. 하체 운동 기구 중에 핵스쿼트라는 기구가 있다. 그 기구를 처음 사용했을 때의 경험을 잊을 수 없다. 한 번 했을 뿐인데, 심하게 떨리는 다리와 숨이 막힐 정도로 뛰는 심장, 나를 아래로 짓누르는 중력감은 적응하기에 어려웠다. 핵스쿼트에 들어가 전신을 누르는 무게를 버티지 못하고 나는 그대로 주저앉았다. 놀란 나에게 트레이너는 말했다.

"방금처럼 운동하다가 안 되겠다 싶으면 그냥 주저앉으세요. 괜히 버텼다가 오히려 큰일납니다. 허리 다쳐요. 잘했어요."

"하지만 들지 못했잖아요."

내 머릿속에는 실패했다는 아쉬움과 기구에 졌다는 패배감이 가득했다. 호흡과 자세를 유지하지 못한 나의 부족함에 괴로웠다. 내겐 그게 당연했다. 오히려 잘했다는 게 기분이 묘했다.

나는 그에게 모범생이면서 문제아였다. 주 2회 PT 수업을 받고, 나머지 5일 동안은 개인적으로 연습했다. 가슴-등-어깨-하체 순서로 코스를 한 바퀴를 돌고 나면 트레이너는 내가 연습했는지 검사했다. 그는 자신이 수업에 알려주었던 자세가 아닌 전혀 다른 자세로 내가 연습한 것을 알게 되었다. 그가 말했다.

"제가 회원님 연습하는 거 지켜봤는데요, 회원님은 생각이 너무 많아요. 자세를 잡는데 이게 맞나 생각하다가 시간 보내고, 운동하면서도 이게 맞나 생각하다가 제대로 자극도 못 받고 횟수는 제대로 못 채우고 가는 거죠. 운동은 동물적 감각으로 하는 거예요. 자세 맞추다가 언제 운동해요? 자세가 정확히 모르겠으면 저에게 물어보세요. 저를 이용하세요. 카톡으로 궁금한 거 보내주시면 제가 답을 해드릴 거예요. 제가 언제 물어보지 마세요, 이렇게 말한 적 있나요? 제가 회원님의 트레이너잖아요. PT가 뭐에요, 퍼스널 트레이닝이잖아요. 그러니까 모르는 거 있으면 저를 이용하세요. 제가 왜 학교 다니며 운동 배우고 재활하는 거 배웠겠어요. 제가 가지고 있는 지식을 회원님께 알려주려고 배운 거예요. 그러니까 물어보세요. 회원님 말고 다른 회원님도 계시는데, 저에게 계속 물어봐요, 쌤, 이거 맞아요? 이렇게 하는 거 맞아요? 물어봐야 내가 한 자세가 맞는지 아닌지 알 수 있죠. 왜 쉬운 길을 두고 어려운 길로 가려고 하세요."

나는 그가 가진 지식을 제대로 이용하지 못했다. 나는 타인에게 쉽게 다가가는 성격이 아니다. 독립적이었고 완벽주의자였다. 그 이후 마무리 상담을 할 때마다 트레이너는 내게 질문 좀 해달라고 부탁했다. 제발, 질문 좀 하세요. 라고 말이다. 수업을 진행하면서 지금 운동이 어느 부위에 자극이 와야 하는지 퀴즈를 내기도 했는데 제대로 맞춰본 적도 없었다. 그는 내게 경고했다.

"왜 공부를 잘하는 사람들이 질문을 잘하는지 아세요? 많이 물어보고 뭐가 맞는지 아니까, 성적이 잘 나오는 겁니다. 회원님이 열심히 하는 것은 좋은데, 잘못된 정보로 그렇게 하다가 나중에 무게 늘어나면 크게 다쳐요."

첫 질문은 수업받고 2달이 넘은 11월이 되어서야 보냈다. 나는 이 메시지를 보내기 위해 작성하고 10분 정도는 보낼까 말까 망설였다. 카메라를 켜서 내가 운동하는 영상을 찍었다. 궁금한 점을 적어놓고 이렇게 보내는 게 맞나? 의문이 들었다. 나는 깜빡이는 커서를 보며 고민했다. 노란 배경에 검은색 종이비행기 버튼이 부담스럽게 느껴질 정도였다. 눈감고 버튼을 눌렀다. 핸드폰 화면에 시선을 뗄 수 없었다. 답변이 오길 기다리다가 시간만 지체하는 것 같아 핸드폰을 뒤집어 놓고 운동을 이어갔다.

답변이 왔다. 내가 운동하는 모습이 담긴 영상과 내 질문 밑에 그의 피드백이 올라왔다. 첫 질문은 데드리프트를 연습한 영상을 찍어 올렸다. 그는 영상을 보고 말했다. 데드리프트를 시작할 때, 어깨를 내려야 하며 몸통을 고정하는 동작이 내겐 부족하다고 했다. 짧게 숨을 마시고 몸통의 긴장을 줘야 한다고 했다. '이렇게 보내면 되겠구나.' 영상을 찍어놓으면 내가 이 기구에 어떤 자세로 운동했는지 볼 수 있었고 그의 피드백도 같이 확인할 수 있었다. 첫 질문을 하고 다음 수업 날, 트레이너는 내가 질문했다고 동료들에게 자랑했다고 한다. 그 소식에 나는 부끄러웠다. 아니, 그런 걸 왜 보여주셨지? 속으로 생각했다.

그래도 그때부터 나는 운동할 때마다 질문을 하려고 노력했다. 영상만 올리거나 운동하면서 궁금한 점을 적어 보내기도 했다. 혼자 운동하면서 자세가 긴가민가할 때, 트레이너와 함께 있는 카카오톡 채팅방을 확인한다. 채팅방에는 내가 그동안 받은 수업 내용과 수업 중에 찍어둔 동영상과 함께 적어준 추가 설명들, 내가 보낸 영상 피드백이 하나둘씩 쌓여 있다. 내가 이 자세에서 뭘 놓치고 있는지 어느 부위가 자극받는지 채팅방을 확인하면서 나는 올바른 자세를 배우고 있다.

식단을 조절해 봐요, 일주일만.

데드리프트로 40kg을 들어 기쁨을 느끼고 있었다. 그가 뜬금없이 몸무게를 측정하자고 했다. 두려웠다. 나는 그동안 먹은 게 무엇인지 알고 있었다. 내 육감은 이미 결과를 알고 있었다. 9월부터 10월까지 나는 과자는 물론, 김치볶음밥, 오리 불고기, 곡물 라떼, 아이스크림, 숯불닭갈비, 화이트 갈릭 버거, 떡볶이, 양념치킨, 열라면, 나물 비빔밥, 도넛, 닭강정 등 다양한 음식을 먹었다. 나는 사형대에 올랐다. 인바디 체성분 분석기는 내 몸을 스캔했다. 프린터가 뱉은 나의 결과지는 트레이너 손에 들어갔다. 그의 눈동자가 빠르게 움직였다. 다시 상담실로 들어갔다. 그와 나는 마주 보며 앉았다. 그는 종이에 시선을 떼지 않은 채 내게 물었다.

"회원님, 그동안 뭐 드셨어요?"

"집밥, 먹었어요."

"집밥 어떤 거요?"

"나물 비빔밥이요."

"비빔밥은 먹지 말라고 얘기했던 것 같은데요. 그거 말고도 또 먹은 거 있어요?"

"음."

"솔직히 말해보세요. 거짓말하지 마시고. 그동안 과자 먹었어요, 안 먹었어요? 회원님 PT 초반에 과자 섭취 줄이라고 얘기했던 거 같은데…여기 있네요."

그는 수업 일지를 뒤지며 두 번째 수업에 적은 과자 섭취 줄이기와 수분 섭취라는 글자 부분을 내게 보여주었다. 그의 단호한 눈빛에 결국 나는 솔직하게 말했다.

"네, 과자 먹었어요."

"그럴 줄 알았어요. 그럼 이렇게 결과가 안 나오거든요. 보세요. 체지방이 지난 결과보다 올랐어요. 반면에 골격근량은 줄었어요. 그 말은 회원님이 운동한 것보다 더 많이 드신다는 뜻이죠."

"네…."

"계속 이렇게 드실 거면 저랑 운동한 게 무슨 소용이에요. 만약 회원님이 식단 이대로 하시겠다고 하면, 전 식단에 대해서 신경 쓰지 않을게요. 그런데 이왕 큰돈 주고 PT도 등록하고, 매일 헬스장까지 와서 운동하는데, 효과도 없어요. 아깝지 않나요? 만약 회원님이 식단을 조절만 한다면 이 체지방 뺄 수 있어요."

"어떻게요?"

"그 전에 확실하게 하고 갈게요. 진짜 식단 조절할 건가요? 진짜 한다고 저랑 약속하면 어떻게 해야 하는지 알려드릴게요."

나는 눈동자를 내려 체지방률이 뻗은 그래프를 보았다. 27.6 퍼센트. 28부터 시작하는 표준 이상을 0.4 퍼센트를 남기고 있었다. 이때 아니면 언제 시작하겠는가? 지금 하지 않으면 앞으로는? 이렇게 살다가 진짜 큰일이 날 거라는 생각이 강하게 들었다. 식단만 유지하면 된다. 나는 천천히 고개를 끄덕였다.

"기간은 2주로 해서 주 1회는 치팅데이로 하는 게 어때요? 아니면,

치팅데이 없이 일주일. 어떤 걸 원하세요?"

"일주일만 할게요. 제가 의지가 좀 약해서."

"알겠어요. 그러면 일주일 후에 다시 측정해 보기로 해요. 아침은 밥과 김 드시고, 달걀이나 고기를 드세요. 단, 고기는 지방 적은 부위로 드시고 요즘 닭고기, 포장된 거 시중에 잘 나와서 구매했다가 드셔도 되고요. 그게 안 되면 참치캔, 참치는 기름 빼서 드셔야 합니다."

펜을 쥔 그의 손놀림은 유난히 빨랐다.

"점심하고 저녁도 아침처럼 드시면 되고, 점심과 저녁 사이나 저녁 먹고 2시간 이후에 프로틴 드세요."

"바나나도 괜찮나요?"

"네, 바나나도 괜찮아요. 옆에 같이 적어둘게요. 단백질도 요즘은 마실 수 있는 거 시중에서 판매되고 있어요. 참, 영양제도 드세요. 식단 조절하면서 부족한 영양소는 멀티 비타민으로 대신 채워주어야 하니까."

"그럼 혹시 간장 계란밥도 괜찮나요?"

"물론이죠. 간장 계란밥이 일본에서 유명한 다이어트 음식이잖아요. 양은 달걀 두 개에 밥 두 주걱 정도로 드세요."

"양상추는 괜찮나요?"

"양상추 좋죠. 그냥 삶아서 드시고, 샐러드로 먹어도 좋고, 그래도 양념은 적게 드세요. 양상추만 드시지 마시고, 삶은 달걀이랑 같이 드세요."

"네. 친척이 제가 다이어트를 한다고 양상추를 보내주셨어요, 6통이나."

"가족들이 회원님 신경 많이 쓰시나 보네요."

"저는 오히려 부담스러워요."

그렇게 일주일 동안 내가 먹은 건 양상추였다. 양상추 1통씩 손질을 해놓고 냉장고에 미리 보관했다. 밥에 삶은 달걀과 생으로 잘게 썬 양상추를 비벼서 먹었다. 가끔 씹히는 게 불편할 때면 양상추를 살짝 데쳐서 잘게 썰어 먹었다. 양이 많아서 밥 없이 달걀과 함께 먹은 적도 있었다. 일주일만 버티면 된다고 생각하며 하루하루를 버텼다.

몸은 거짓말하지 않았다. 체중이 61.6 kg에서 60 kg로 줄었다. 골격근량이 24.4 kg에서 23.6 kg로 감소했고, 체지방률이 27.6 %에서 28.2 %로 증가했다. 몸무게는 줄었다. 하지만 골격근량이 줄었고 체지방률이 늘었다. 트레이너는 이 결과가 일시적일 수 있으니 한 주 더 식단을 유지하자고 했다. 그렇게 기간은 자연스럽게 늘어났다. 삼시 세끼를 똑같은 메뉴로 먹었다. 가끔 지겹다 느껴질 때, 구운 김과 함께 먹었다. 김 하나 추가할 뿐이었는데 맛있었다. 가족들과 고깃집에서 고기와 상추만 먹어도 맛있었다. 특산물 박람회에서 망개떡과 건빵을 구매해 조금씩 먹으며 후회했다. 다시 정신을 차리자 하고 식단 조절을 유지하려고 노력했다. 그만큼 먹었으면 더 움직여야지 생각하며 운동을 더 열심히 했다. 물을 자주 마시고, 영양제도 챙겨 먹었다.

그렇게 또 일주일이 지났다. 몸무게를 60 kg로 유지하는 데 성공했다. 큰 변화가 있었다. 골격근량 0.5 kg 증가했고 체지방률 이전보다 0.9 % 감소했다. 좌표가 훅 떨어지는 것을 보고 나도 놀라고 트레이너도 놀랐다.

지금도 나는 스스로 식단을 유지하려고 노력한다. 내가 자주 먹는 메뉴는 간장 계란밥이다. 삶은 달걀 두 개에 밥 한 공기, 간장과 참기름을 한 숟가락씩 넣고 비빈다. 만들기도 쉽다. 기세를 몰아 2024년 1월 5일 기준으로 나의 몸은 체중 60.9 kg, 골격근량 25.3 kg, 체지방률 24.5 %가 되었다. 기초대사량도 증가했다. 내 몸은 계속 좋은 쪽으로 변화하고 있다. 내 의지가 점점 강해지고 있다.

변화

대학생 때, 나는 과제로 비전 보드를 만들었다. 나는 카르멘 델오레피스 라는 유명한 외국 모델 사진을 붙었다. 1931년에 태어나 어린 시절에 모델로 활동했고, 지금은 최고령 여성 모델이다. 나는 그녀처럼 백발노인이 되어도 바른 자세로 세상 앞에 서서 내 분야에 최고령으로 살고 싶었다.

나는 전문적으로 일하는 나의 30대를 상상했다. 하지만 지금 나는 무직이다. 상상과 현실의 차이가 커서 생각이 복잡해지고 우울해졌다. 마치 심해로 가라앉는 침몰선처럼 아무것도 하고 싶지 않았다. 계획했던 일이 풀리지 않았고, 눈앞의 미래는 캄캄했다. 침대에 누워 멍하니 천장을 보았다. 암막 커튼으로 어두운 방 안에서 눈이 서서히 어둠에 익숙해지기를 기다렸다. 그리고 나는 서서히 조여 들어오는 감각을 느꼈다. 방 안이 답답했다. '계속 이러고 있으면 나 진짜 죽을 것 같아!' 나는 쫓기듯 밖으로 나갔다. 목적지를 정하지 않고 무작정 걸었다. 멀리 돌아 집에 늦게 들어갔다.

이후로 집에 있기 싫을 때면 나는 도서관에 갔다. 문제가 생길 때마다 원인과 해결 방법을 책으로 찾아보려고 했다. 명상하기, 운동하기, 기록하기, 긍정적인 생각하기 등 다양한 방법들이 나왔다. 미디어에는 나처럼 불안을 쉽게 느끼고 예민하고 생각이 많은 사람은 현실 감각이 떨어진다고 말한다. 운동하거나, 산책하면서 주변을 둘러보고 현실을 보라고 한다. 머리는 알아도 실천하지 않아 아무것도 해결되지 않았다. 머리로 해결하려고 하면 머릿속에서 잔류하여 더 괴로웠다. 그랬던 나는 운동을 배우기 시작하면서 조금씩 달라졌다.

'일단 해봐! 운동은 원래 힘든 거야! 인생도 마찬가지야. 주저앉더라도 일어나서 다시 시작해! 지금 1세트 한 거야! 아직 내 인생은 끝나지 않았어!'

운동과 식단을 병행하면서 나는 내 몸과 마음을 관리하고 있음을 느낀다. 나를 관리한다는 것은 그만큼 나를 사랑하고 있다는 의미니까.

트레이너가 운동방식과 행동, 언어를 통해 내 성격을 파악할 수 있었듯이 그가 내게 걷는 게 이상하다고 내 걸음걸이를 보여주었다. 나는 몰랐다. 나는 내 신장에 비해 좁게 걷고 있었다. 보폭이 짧은 치마를 입은 것처럼 말이다. 충격받았다. 나, 이렇게 소심하고 어정쩡하게 걸었다고?! 요즘은 일부러 발을 더 길게 뻗는다. 가슴을 펴며 고개를 든다. 의자에 앉을 때는 허리가 구부러져 있다고 인지하면, 복부에 힘을 주며 허리를 세우려고 노력한다.

완벽주의는 아직 진행 중이다. 여전히 나는 불안을 먼저 감지한다. 트레이너는 내게 말했다.

"운동하기 전에 마인드 셋이 필요해요."

기구는 안전을 위해 만들어졌다. 트레이너가 나를 도와준다. 그러니 안심하라는 말을 해도, 내 생각과 마음이 그렇지 못하면 제대로 할 수 없다.

나는 데드리프트를 80 kg를 들었다. 비록 한 번이지만 트레이너의 보조 없이 순수한 내 힘으로 그 무게를 들어 올렸다. 바벨을 무릎 위로 들어 올렸을 때, 손에서 느껴지는 거대한 무게감에 포기할지 생각했다. 고개를 들었다. 거울에 비친 내 모습이 보였다. 손에 들려 공중에 떠 있는 80kg 바벨이 보였다. 언제 이걸 내가 들어보지? 지금이 아니면? 내 손은 오히려 바벨을 놓지 않았다. 내 팔은 단단해졌다. 발과 다리에는 힘이 들어가 바닥을 단단히 눌렀다. 상체가 자연스럽게 세워졌다. 몸을 바로 했을 때, 참고 있던 숨을 후 뱉었다.

내가 보였다. 80kg 바벨을 완전히 든 내 모습. 나도 트레이너도 예상하지 못한 일이었다. 준비된 상황이 아니어서 영상도 없다. 기록하지 못해 아쉽다. 그래도 나는 성공했다. 그걸로 충분하다.

어릴 적부터 나는 과자를 좋아했다. 마트에 들어가면 제일 먼저 찾는 건 과자 진열대였다. 비스킷이나 스낵, 디저트라면 어떤 것이든 상관이 없었다. PT 초반에 과자를 줄여 보기로 트레이너 쌤과 약속했지만 나는 지키지 못했다. 그래서 나는 식단이 어렵다고 생각했다.

식단을 본격적으로 조절하기 시작하면서 나는 마트에서 들어가면 채소가 진열된 코너로 먼저 들어간다. 진열대 끝에 있는 달걀 가격을 본다. 요즘 물가가 올라가 과자가 1봉지에 3,000원이다. 한 번 먹는 과자보다 7,000원에 3일 삼시 세끼를 먹을 수 있는 달걀 한 판이 가성비가 있다고 마음을 가다듬었다. 과자 진열대는 시선을 두지 않으려고 노력했다.

어머니가 과자를 내게 먹으라고 내민 적이 있었다. 나는 거절했고 쾌감을 느꼈다. 내가 나를 관리하고 있다는 행동이 타인에게 보여준 일이었다. 내가 좋은 감정을 느꼈다는 것은 이게 옳은 선택을 했다는 증거겠지.

운동과 성공

2023년은 나에게 혼돈과 침체의 시기였다. 내가 하고 싶은 일을 배우려고 신청한 교육 프로그램은 인원 부족으로 개강이 계속 연기되었다. 그리고 6개월을 허비했다. 그 6개월 동안 나는 이게 내가 하고 싶은 게 맞는지 의심했다. 사소한 결정에도 '이게 맞아?' 계속 나를 의심했다. 해답을 찾으려고 했다. 하지만 찾지 못했다. 오히려 나를 짓누를 뿐이었다. 집에서 지내는 시간이 늘었다. 주변에서는 회사는 다니냐,

요즘 뭐하냐며 나를 부담스럽게 했다. 동기들은 신랑, 신부 복장으로 카카오톡 프로필이 바뀌고, 누구는 아기 사진이 있었다. 결혼하지 않은 동기들은 여행 사진이었다. 나 빼고 다들 행복해 보였다. 나도 열심히 해서 자격증을 따고 수료했는데, 내가 해온 일들이 문득 하찮게 느껴졌다.

2024년을 앞두고 나는 변화의 필요성을 느꼈다. 2023년 그동안 있었던 일정을 적어둔 달력을 월별로 정리했다. 2023년에 내가 해온 일은 PT 신청과 자격증을 얻은 것이었다. 상황에 이끌려 시작한 게 아닌 내가 스스로 원해서 시작한 일이 두 개뿐이라니! 2023년 매월 비어있는 이달의 목표를 보았다. 2024년에는 이렇게 살면 안 되겠다고 결심했다.

성탄절이 오기 전, 자기 계발 유튜버가 직접 만든 강의를 5일간 무료로 배부하는 이벤트를 열었다. 무언가를 이루기 위해서 성공 마인드를 가져야 한다고 주장하는 유튜버다. 운동하면서 내가 해야 하는 마인드 말이다. 어떻게 하는 거지? 이 의문에 난 강의를 신청했다. 지금도 듣고 있다. 나는 헬스장에 들어가기 전에 속으로 말한다. 나는 할 수 있다. 나는 안전하다. 선생님이 지켜보고 있다. 바벨을 든 내 모습을 상상하며 이번 운동도, 수업도 따라올 수 있다고 다짐한다.

건강한 신체에 건강한 정신이 깃든다. 성공한 사람들은 규칙적인 생활 습관이 있다. 전(前) 마이크로소프트 회장 빌 게이츠는 탁구, 배드민턴, 테니스를 합친 피클볼을 50년 넘게 하고 있다. 『1Q84』, 『해변의 카프카』의 작가로 유명한 무라카미 하루키는 하루 10km를 달리거나 1,500m 수영을 한다. 버락 오바마 전 미국 대통령은 백악관으로 출근하기 전에 근력 운동과 유산소 운동을 했다. 시니어 모델인 카르멘 델오레피스도 유산소 운동, 요가, 필라테스, 근력 운동을 통해 지금의 몸매를 유지하고 있다. 성공한 사람들은 작은 성공에서부터 시작했다. 아마존이나 애플 같은 유명한 기업들도 초반엔 작은 크기의 창고나 매장에서 시작했다.

나도 헬스장에 가기 싫은 적이 많았다. 헬스장에 미리 등록한 돈이 아까웠다. 가지 않는 선택을 하면 내 기분은 찝찝하고 불편했다. 그래서 억지로라도 갔다. 30분이라도 러닝 머신을 하고 나왔다. 엘리베이터를 타고 내려가면서 스스로 말했다. 헬스장에 온 것만으로 넌 성공한 거야. 잘했어. 이렇게 생각하며 나는 성공한 일을 하나둘씩 만들어 가고 있다.

운동은 성공과 비슷하다. 운동하는 동안 힘들다. 괴롭고 포기하고 싶다. 그냥 앉아서 편하게 쉬고 싶다. 성공도 그렇다. 성공하기 전까지 힘들다. 괴롭고, 포기하고 싶고, 그냥 이전 편안한 생활로 돌아가 안주하고 싶다. 운동을 통해 내 몸이 좋게 변화했듯이 운동을 통해 얻은 나의 변화가 내 삶에 좋은 쪽으로 변화할 것이라고 나는 믿는다.

고민은 여행으로 대신합니다.

아롬

아롬 —

어려운 마음일 땐 여행을 통해 마음의 안색을 살펴보는 사람입니다. 낯선 곳에선 어쩐지 삶도 낯설게 다시 볼 수 있는 것 같습니다. 짐은 노트, 카메라, 보이지 않는 고민거리가 전부입니다. 삶도, 몸도, 마음도 가벼울수록 좋지 않을까요? 정답이 아닌 나만의 해답을 발견해 나간 7번의 여정 속 생생한 기록을 이곳에 띄웁니다.

instagram: @_from.arom_

기간 10/6 – 10/9

장소 코타키나발루

장르 배낭여행

테마 사원

경로 핑크 모스크 -블루 모스크

당신은 어려움을 어떻게 극복하십니까?

내가 찾은 방법은 여행이다. 오직 나에게만 집중하는 다정하고 섬세한 여행. 기간이나 거리는 어떻든 상관없다. 잠시 익숙한 환경에서 벗어나서 삶의 방향을 조율하는 시간을 갖는다. 낯선 곳에서 새롭게 트이는 것들은 늘 나를 홀가분하게 했다. 그래서일까. 여행지에서 내린 결론은 대부분 긍정적이었다. 떠나와서 해야 할 건 오직 하나. 내게 근원적인 질문을 던지는 것이다.

나는 누구인가, 나는 무엇이면 충분한 사람인가, 내가 이루고 싶은 것은 무엇인가, 나는 어떻게 살아야 하는가, 나는 무엇을 위해 사는가, 내게 행복은 무엇인가.

너무 거창해서 쉽게 답할 수 없는 물음을 내내 던진다. 느려도 더듬더듬 나와 삶을 조망해보는 과정은 어려움 '극복'의 계기가 되었다.

7번째 여정의 시작

삶이 영원하지 않다고 생각해야 모든 감정에 절실해지니까.

- 김영하, 〈작별 인사〉 중에서-

허둥지둥 엮어 만든 무엇 하나 나답지 않은 삶이 경악스러웠다. 내가 어떤 사람인지, 무엇이 어울리는 사람인지 전혀 모르는 채로 펼쳐낸 그야말로 무작위한 삶이었다.

그 탓에 직장에 무던히 적응하지도, 개인적인 시간에 온전히 행복하지도 못했다. 삶에서 중요한 무언가를 놓치고 있다는 모호한 불길함은 끝내 '멈춤'을 결정하게 했다. 오랜 시간이 걸릴지라도 내게 잘 어울리는 삶으로 바로잡고 싶었다. 당장 선택할 수 있는 건 퇴사와 여행이었다. 안정적인 삶과의 단절이 괜한 수고로 남지 않길 바라며 6개월간 6번의 여행을 하게 되었다. 그때마다 의미 있는 발견이 있었지만 삶은 여전히 어렵고 복잡했다. 그러나 내가 할 수 있는 특별한 방법은 없었다. 그저 더 많이 떠나보고, 밀도 있게 고민해 보는 수밖에 없었다. 그렇게 7번째 여행을 준비했다. 가진 건 체력과 적은 잔고, 원하는 건 조용하면서 아름다운 장소였다. 곧장 '저비용+고요함'이 충족될 여행지를 찾아보았다. 한국에 비해 물가가 저렴한 나라 중에서 유독 '코타키나발루 (말레이시아)'가, 정확하게는 그곳의 분홍빛, 푸른빛 사원이 눈에 들어왔다. '세상에 이런 곳이 있다니…' 웅장한 사원 특유의 신비롭고 고즈넉한 분위기는 가히 압도적이었다. 운명처럼 '여기다…!' 싶었다. 그렇게 사원을 향한 7번째 여정이 시작되었다.

(인천-코타키나발루 비행 티켓)

Spot 1 -핑크모스크

UMS 이슬람 사원- UMS Mosque
University Malaysia Sabah, Kota Kinabalu 88400 Malaysia

'알라딘 속 지니가 살 것 같다...'

그곳에 도착해 처음 내뱉은 말이다. 꼭 동화 속에 있을 법한 모습이었다. 뾰족한 야자수와 샛노란 야생화는 분홍빛 사원과 조화롭게 어울렸다. 눈앞이 온통 한국에서 우연처럼, 운명처럼 첫눈에 반한 사진 속 모습 그대로였다. 잔뜩 부푼 마음을 애써 가라앉히며 느린 걸음으로 사원을 둘러보았다. 이곳이 적도 부근임을 말해주듯 강렬하게 화창한 날이었다.

모든 분홍빛 벽면은 흰색의 문양 조각으로 촘촘하게 장식되었고, 주변은 초록의 절정을 띈 열대식물들로 가득했다. 눈동자에 초록과 분홍이 번갈아 물드는 과정은 부푼 마음을 차분하게 했다. 그 과정은 마치 걷는 명상 같았다. 한동안 따끈따끈한 길을 걷다 보니 다리가 무거워졌다. 곧장 눈앞에 들어온 야자수 그늘 아래 위치한 벤치에 다가갔다. 위치상 사원을 정면으로 바라볼 수 있었다. 야자수나무 그늘에서 맞는 바람은 유독 시원했다. 귓가엔 서로 부딪히는 나뭇잎들과, 느리게 지저귀는 새소리만이 가득했다. 평화로운 소리였다. 마치 빈 조개껍데기에 귀를 대면 들리는 파도 소리처럼 신비롭기도 했다.

머물렀던 야자수 아래 벤치　　　　벤치에서 바라본 사원

그때부턴 이상하게 지나다니는 사람이 없었다. 그저 사원과 나, 단 둘만 세상에 덩그러니 남겨진 듯했다. 그야말로 마법 같은 상황이었다. 사방곳곳 음소거 버튼이 눌린 듯 무척 고요했다. 얼마간 말없이 가만히 앉아있었다. 그 순간. 정적을 깬 건 해석할 수 없는 주술처럼 낮은 리듬을 띈 음성이었다. 대단히 장엄한 목소리였다. 알고 보니 사원의 기도 시간이었다. 그 타이밍에 기도한다면 왠지 꼭 이루어질 것만 같았다. 나름대로 기도하듯 두 눈을 감았고 이곳에 떠나온 이유이자 목적인 질문을 내게 건넸다.

'아. 여기 너무 좋다.'
'앞으로 어떻게 살아야 좋을까…'
'이왕이면 평생의 소원을 빌어보자!'
'내가 정말 바라는 게 뭐지?'
'생각이 너무 많아서 잘 모르겠어.'
'천천히 잘 생각해보자. 내게 정말로 중요한 게 무엇인지.'
……

'모험.'

오랜 침묵을 뚫고 나온 단어였다. 마음속 깊은 곳에서 떠오른 대답은 '모험'이었다. 얼마 지나지 않아 기도 소리는 멈췄다. 찰나의 마법 같은 순간이 풀리듯 금세 한 명, 두 명 사람들이 나타났다. 곧장 가방

속에 챙겨온 노트를 꺼내어 '모험'을 적었다. 그 의미를 곰곰이 들여다 보자, 지나온 날들이 스쳐 갔다.

20대 초반의 난 결핍이 많았다. 그 나이 땐 '좋아 보이는 것'에 잘 휩쓸리는 때여서일까. 눈과 귀는 내가 아닌 밖을 향해 있었다. 세상을 보는 시야도 좁았기에 보이는 것만 반복해서 보며 믿었다. 특히 나의 '없음'을 누군가의 '있음'과 비교하니 온갖 욕망이 난무했다. 그럴 때면 아직 무능한 자신이 한없이 초라하게 느껴졌다. 그 지독한 느낌에서 벗어나려면 하루빨리 사회에 나가 '성공'을 이뤄야만 했다. 다만 '성공한 삶'이 무엇인지 뚜렷하게 정의하거나 설명하진 못했다. 그저 겉보기에 그럴싸한 직업과 경제력을 갖춰내는 게 '성공한 삶'이지 않을까 지레짐작할 뿐이었다.

막연한 성공을 목표로 대학 졸업 전까지 어떻게든 '나의 쓸모'를 만드는데 모든 에너지를 쏟았다. 무능한 내가 취할 수 있는 유일한 태도는 '분투'였다. 초조한 마음탓에 잠시도 편히 쉴 수 없었다. 매사에 다그치고 닦달하기 바빴다. 그야말로 온갖 욕망과 공포감으로 범벅된

시간이었다.

'성공'이 정상이라면 단번에 오르고 싶었다. 그러려면 시행착오나 실패 확률이 적게 보장된 길일수록 좋았다. 도착할 곳이 어딘지 보단 빠르게 도착한다는 사실이 중요했기 때문이다.

결과적으로 '빠른 성공'을 이뤄냈다. 졸업을 앞두고 조기 취업이 되었고 순식간에 번듯하고 안정적인 환경이 주어졌다. 이대로만 차곡차곡 살아낸다면 행복도 만족도 가득할 것 같았다.

그러나 시간이 흐를수록 어딘가 허전했고 맹맹했다. 이렇다 할 의지도, 만족도 솟아나지 않았다. 그곳의 나는 마치 어울리지 않는 옷을 입은 듯 어색하고 불편할 뿐이었다. 그동안의 노력을 부정하지 않으려면 쉽게 후회해서도, 방황해서도 안됐지만 자꾸만 의구심이 들었다. 그때 처음으로 내게 물었다.

'허전해도 상황에 만족하는 게 맞을까?', '내게 어울리는 삶이 있지 않을까?', '지금이 정말로 내가 원했던 모습인가?', '생계만 해결되면 성공한 삶인가?', '정말 이렇게 사는 게 정답일까?', '삶에 정답 같은 게 있긴 할까?'. 내게 온 공허함은 뚜렷한 목적 없이 속도만 높이느라 방향성을 상실해버린 결과였다. 눈앞의 나와 삶에 있어 어떤 확신도 없는 표정을 도무지 감출 수 없었다. 그대로라면 영영 한번뿐인 젊음을 제대로 발휘하지도, 만끽하지도 못하게 될까봐 두려워졌다. **'정말 원하는 삶이 무엇인지', '어떻게 살고 싶은지', '언제 충만하게 행복한지', '정말 좋아하는 게 무엇인지', '내가 정의하는 성공은 무엇인지'.** 어느 것 하나 쉽게 답할 수 없었지만, 지금껏 '나'라는 분명한 주어가 없는 채로 살아왔다는 사실은 분명히 알 수 있었다. 그렇게 살아온 혹은 살아갈 날들은 그야말로 시간 낭비였다. 변화가 절실했다. 공허함을 거두어 줄 방법을 찾던 중 한 구절이 눈에 띄었다.

'여행은 우리가 사는 장소를 바꿔 주는 것이 아닌,
우리의 생각과 편견을 바꿔주는 것'
– 아나톨–

그 구절로 인해 일단 여행부터 다녀 보기로 마음먹었다. 내게 관한 새로움을 터뜨릴 수만 있다면 조금도 망설이고 싶지 않았다. 그렇게 절실한 마음으로 떠난 만큼 각각의 여정마다 〈내게 관한 힌트〉를 발견할 수 있었다.

1 노란 열매를 볼 때 행복하다. (제주)
2 좋아하는 것을 좋아할 용기를 갖자. (대만)
3 좋아하는 걸 끝까지 좋아해보자. (다시 찾은 대만)

4 낭만 있는 삶을 살고 싶다. (홍콩)

5 해내는 마음을 키워내고 싶다. (호치민)

6 비 오는 날 꽃을 사면 행복하다. (다낭)

7 모험 같은 삶. (코타키나발루)

각각의 여정마다 내게 스쳤던 결정적인 맥을 되짚자 나를 발견하려 숱하게 떠날 용기를 냈던 한 사람의 마음가짐이 보였다.

돌이켜보면 안정적인 삶을 모두 포기한 채 떠난 여행은 마냥 신나고 좋지만은 않았다. 즐거움보단 불확실함이 컸고, 온갖 위험 요소만 가득할 뿐이었다. 드넓게 세상에 다녀오려면 많은 자원을 소진해야 했고, 기대와 달리 기존의 생각과 편견을 못 깰 수도 있으며, 명쾌한 깨달음이나 실마리를 얻을 거란 보장도 없었다. 무엇보다 기약 없는 시행착오를 스스로 견딜 수 있을지도 의문이었다. 그럼에도 좁고, 얕고, 단일한 관점에서 비롯된 문제들을 떠올리면 멈춰 있을 수 없었다. 여행의 과정 역시 쉽지만은 않았다. 종종 '이 모든 게 괜한 낭비가 되지 않을까' 하는 의심이 들어 발걸음이 무거워져도 스스로 마음을 다잡아야 했다. 수차례 '충분히 겪고, 느끼고, 깨닫자'는 각오를 다지며 의심을 달랬다. 그 끝에 쓰여진 모험(冒 무릅쓸 모, 險 험할 험) 은 그 모든 과정을 상징함과 동시에 끝까지 추구하고 싶어진 내게 잘 맞는 삶의 방식이었다.

Spot 2 - 블루 모스크

코타키나발루에서 가장 큰 규모의 사원인 블루 모스크는 파란 하늘과 투명한 호수 사이에 우뚝 서있었다. 눈앞은 제각각의 파랑으로 가득했다. 그 앞에선 누구라도 넋을 놓을 만큼 웅장한 화려함으로 가득했다.

블루모스크- Likas Mosque
Central road of Kota Kinabalu, Kota Kinabalu Malaysia

블루모스크 입장 티켓

마지막 일정인 탓에 눈앞의 모든 게 유독 애틋했다. 눈으로 사진 찍듯 지긋이 바라보며 불어오는 바람 내음까지 생생하게 기억하고 싶었다. 시간을 잊은 채 가만히 사원을 바라보니 마음이 편안해졌다. 문득 이곳에서 느낀 행복을 구체적으로 적어봤다.

느리게 걷는 것
한가한 시간을 마련하는 것
아름다운 것 앞에 멈춰 서는 것.
구름의 속도를 멍하니 바라보는 것.
나중이 아닌 지금에 집중하는 것.
내 안의 목소리에 집중하는 것

하나같이 어려울 것도, 돈이 드는 것도 아니었다. 그저 지금껏 하지 않았던 것들이었다. '여태 구름 한번 마음 편히 바라본 적 없었다니…'

대체 뭐가 그렇게 정신없었던 걸까 생각해봤다. 성공도 행복도 대단한 성취감에서만 비롯된다는 오해와 착각이 그 원인이었다. 습관처럼 분주했던 마음에겐 잠시 쉬어갈 때 채워지는 행복을 느껴 보기는 커녕 그런 게 존재하는지도 몰랐다. 숨 한번 편히 고르지도 못한채 가쁘게만 달려온 지난날의 모습이 우습다가도 짠했다. 그러다 '매일 느낄 수 있는 작은 행복을 놓치지 않는 삶이 어쩌면 가장 행복한 삶이라는 아닐까?' 생각했다. 잠깐의 '멈춤', '단절', '느림'을 두려워하지 않는다면 충분히 가능한 일이었다. 그 순간 '행복'이 어디서 어떻게 오는지 조금은 알게 된 것 같아 개운한 기분이 몰려왔다. 돌아가는 발걸음이 가벼웠고 그날의 바람은 유독 달큰하게 느껴졌다.

7번의 여정을 마치며

방황으로 부터 시작된 7번의 여정동안 익숙한 장소, 지역, 나라가 아닌 곳에서 충분히 고민하며 적극적으로 나를 발견해나갔다.

동시에 세상 곳곳 다양한 삶의 모습을 접하면서 기존의 관습적인 생각과 편견에서 벗어날 수 있었다. 무엇보다 '성공한 삶', '행복한 삶'이란 각자마다 정의하기 나름일 뿐 '정답' 같은 삶은 없음을 배웠다. 앞으로의 시간은 '좋아 보이는 삶'이 아닌, '내게 좋은 삶' 즉, 내게 가장 잘 어울리는 삶을 만들어가는 데에 전부 사용할 것이다. 여행이 꼭 정답이 될 수 없겠지만, 고민을 대신해 줄 제법 효과적인 수단임은 확실한 것 같다.

아버지! 맏딸입니다.

최마리

최마리

글쓰기를 좋아합니다. 허나 잘 쓰기는 2% 부족한 듯해 늘 배우고 노력합니다. 이번 글에선 아픔을 고백했습니다. 앞으로 자기 고백, 반성과 비판이 가능한 멋있는 글을 더 잘 쓰고 싶습니다.
멋있게 살며 사랑하며' 배우겠습니다.

email: 0818choi@gmail.com

존경하고 사랑하는 아버지!

언제나 변함없이 오롯이 내 편이던 당신께서 제 곁을 떠나고 세월이 많이 갔습니다.

계신 곳은 어떤 지요. 그 곳에선 아프지 않으신 지요. 아버지. 당신은 참으로 조용하고 자상하고 온화하셨습니다. 당신께서 말없이 주신 크기를 알 수 없는 우주보다 더 크고 따뜻한 그 사랑 생각할 때면 가슴이 몽실몽실 따뜻해 집니다. 큰 사랑받았음을 기억하며 또 다시 힘내 살아갈 용기를 내어 한발 더 나아가곤 합니다.

초등학교 시절 매 학기 시작할 때면 달력과 문창호지로 교과서를 곱게 싸 주셨지요. 연필은 반듯하게 깎아 필통에 채워 주셨지요. 아버지가 길게 깎아 주시던 연필 모양이 생각날 때면 가슴 뭉클하고 슬며시 눈물이 고입니다. 그럴 때면 요즘 잘 쓰지도 않는 연필을 깎습니다. 어쩌다 동네 문방구나 마트에 갈 때면 아버지 생각하며 연필을 칼로 깎아 쓰려고 몇 자루를 사곤 합니다. 여름방학 저녁이면 식물 채집해 말린 것 정리와 공작 숙제를 도와 주시며 '이제 곧 하늘 높아지고 말이 살찌는 가을이 오겠구나.', '여치소리가 참 시원하고 좋구나.'하시며, 종이로 배, 새, 새알, 바지저고리 접는 방법도 가르쳐 주셨지요. 어찌 그리도 솜씨가 좋으셨는지 모르겠습니다. 겨울방학엔 함께 앉아 곱고 예쁜 연을 만들어 주시며 '재미있게 날려 보거라.', '겨울바람이 싸늘하고 추우니 너무 늦게까지 다니지 말고 들어오너라.'하셨지요. 유독 몸이 약해 자주 편도선이 붓고 감기 걸리고 추위를 타는 맏이를 늘 걱정하셨음을 잘 압니다.

아버지 가시고 벌써 십 칠년이 되는 겨울입니다. 명확하고 세련된 변화와 함께 오는 사계가 존재하기에 아름다우나 가는 실선처럼 위태롭고 예민한 우리에게 또 겨울이 왔습니다. 어느새 이순이 지났습니다. 매해 맞은 겨울이라도 양상이 여우 눈물같이 천양지차라 곱고 흰 눈 내리고 추운 정도조차 예측할 수 없습니다. 올 일월엔 유독 영하 날씨에 세찬 바람 몰아쳐 부쩍 더 저리고 통증이 심한 날이 많았습니다. 아버지 외손자 규가 좋아하는 쌀쌀하지만 상쾌한 겨울바람과 증손자 우와 빈과 강아지가 소리치며 좋아하는 큰 송이 함박눈이 내리는 겨울이 뭐 그리도 싫을까요? 다만 주변 친구들 같이 나이 들어가며 나타나는 노화 증상보다 조금 더 빨리 망가지는 몸 상태가 그렇습니다. 제 척추 나이는 이미 노인이라고 합니다.

아버지 맏딸인 제 인생을 뒤흔들었던 죽음만큼 끔찍했던 교통사고 이후 오랜 시간이 흘렀습니다. 아버지 떠나시기 3년여 전 맏이가 당한 재난으로 가시는 순간까지 말도 제대로 못하고 아파하셨지요. 어리석고 못난 맏이가 아버지 고단한 인생에 큰 아픔이 되었음을 잘 압니다. 그리 죽음과 같은 사고 이후 대학병원 응급 수술 후 온 몸에 관을 달고 누워있었습니다. 그래도 천운이었습니다. 사고 후 2시간 이내 수술을 받을 수 있었기에 하반신 마비를 면했지요. 수술 후 온 몸에 관을 달고 다만 눈만 반짝일 뿐 절대안정 상태 척수수술 환자인 맏이를 차마 보시기 힘드셨겠지요. 맏딸 보러 병원에 오시기 전 소주 한잔을 하신 듯했습니다. "이 자식아. 뭘 그리 바쁘게 사니... 조금 쉬엄쉬엄 느릿느릿 살지...', '인생이 그리 열심히 산다고 원하는 것 다 되는 것도 아닌데...이 자식아."평소와 달리 조금 격하게 말씀하셨지요. 당시 병실에 가족이 여럿 있었으나 당신 눈에 고인 눈물은 저만 보았습니다. 전 아무 대답도 못하고 그저 한동안 소리 죽여 눈물만 흘렸지요. 그렇게 우는 절 가만히 보다가 병실에서 마음이 아프고 힘드셨을 아버지는 바로 병실을 떠나셨지요. 6개월 후 퇴원할 때까지 오시지 않은 아버지 마음 고스란히 전해져 간절히 뵙고 싶어도 서운치 않았습니다. 아무도 없는 밤이면 혼자 소주 한두 잔 하며 눈물지으셨을 것을 알기에 그랬습니다.

20년 전 가을학기 첫 시간 강의가 있었기에 의식치 못하고 속도를 상당히 높였나 봅니다. 경부선 긴 터널을 나와서 보니 근거리에 차가 있어 적절 간격을 유지하자 마음먹고 조심스레 밟은 브레이크에 기인해 차가 무섭게 튕겨나고 두 번을 구르게 될 줄 몰랐습니다. 속도가 높은 상황에서 브레이크를 밟으면서 나타난 현상이었지요. 차 안에서 척추와 몇 군데 뼈가 부서지는 소리를 들었습니다. 이대로 떠나면 엄마 없이 살아야 할 어린 아들 규를 생각하며 의식을 붙잡으려고 가진 에너지를 모두 이용한 듯합니다. 사고 나자마자 달려온 응급차와 견인차 운전기사에게 차에 있는 그대로 근처 병원으로 옮겨 달라 사정했습니다. 전후 사회운동을 하시며 전쟁 미망인 삶을 많이 안타까워하셨던 당신이셨지요. "우리나라 여성들도 가능하면 전문자격이 필요하다." 던 아버지 설득에 전공한 간호학 덕분입니다. 그렇게 아버지가 절 더 살게 하셨지요. 아버지가 더 이상 뵐 수 없는 곳으로 선천하시고, 장애인 자식이 공무원 연금을 승계할 수 있다는 사실을 알게 되었습니다. 더할 수 없이 감사했습니다. 어머니 병원비용으로 쓸 수 있었던 귀한 보석보다 더 귀한 선물 덕분에 맏딸로 잘 살 수 있습니다.

사고로 부서진 척추 후궁을 제거하고 티타늄으로 고정한 이후 늘 그러했듯이 올 겨울에도 춥고 시리고 저리고 아픈 증상이 하루하루 더 심했습니다. 통증에도 몸이 적응한다고는 하지만, 여태껏 북풍 한파 몰려오는 한겨울에 나타나는 예민한 통증 적응은 무척 어려운 듯합니다. 겨울에 기온이 영하로 떨어지거나 낮은 기압 상태에서 체순환 문제가 발생해 부기가 생겨 저림과 통증 심한 듯도 합니다. 무엇보다도 추위를 많이 타니 겨울엔 밖으로 나갈 엄두를 내지 못하니 햇빛 받는 시간이 절대 부족할 것입니다. 그러하다 보니 어둡고 조용하고 예민해

지는 밤이면 통증이 심해 강력진통제와 수면유도제 없이 잠들기 어렵습니다. 아니, 약이 없는 날이면 밤을 하얗게 보내곤 합니다. 그럴 땐 어려운 책을 읽거나 심각한 칼럼 글 쓰는 것에 집중합니다. 심각한 생각 고민은 통증마저 상쇄할 집중력을 줍니다. 이 글 쓰는 작은 재주는 아버지께서 물려주셨지요. 물론 아버지 글이 훨씬 더 부드럽고 힘이 있음을 잘 압니다. 어린 시절 우리 조상님과 아버지 얘기를 써드리겠다는 약속을 지키지 못해 죄송합니다. 재작년 엄마 주제로 "엄마에게 치매가 왔다."를 썼으니, 올해는 아버지와 약속 꼭 지키겠습니다. 제목은 무엇으로 할지요. 제 꿈에 한번 와서 말씀주시길 기다리고 있겠습니다.

이즈음 쉰 초반부터 나타난 요실금, 방구 실금과 변 실금 현상이 심해져 기저귀 없이 하루도 생활할 수 없습니다. 그런데, 참으로 감사하게도 우리나라에서 개발한 요실금 기저귀가 마술이자 예술 자체입니다. 착용하면 비단인양 부드럽게 착 달라붙어 표시조차 나지 않습니다. 척수손상에 기인한 변 실금을 치료할 수 없음을 진단받던 날 자살 시도를 했습니다. 그리 냄새나는 몸으로 살아갈 세상이 두렵고 창피해서 주신 목숨 함부로 다뤘습니다. 죄송합니다. 치사량 이상 약을 복용했음에도 깨어났습니다. 정치인 처라 병원조차 갈 수 없어 그저 며칠 잠에서 깨어나지 못했습니다. 아버지가 그리 사랑하셨던 맏사위 이 서방이 정치인이 되었습니다만 이 맏딸은 불편한 게 이만저만이 아닙니다. "그 사람 큰 사람 될 것이니 따뜻이 잘 챙기며 잘 살라."시던 아버지 말씀 여태 명심하고 살고 있습니다. 그렇게 깨어나지 못하고 마치 죽음처럼 자던 중 아버지가 오셨습니다. "우리 큰딸. 어서 일어나라. 넌 이제까지 가진 능력보다 더 열심히 일하고 살았다. 장하다."꿈에서 준 당신 말씀이 지금껏 들리는 듯 영화 한 장면처럼 선명해 잊을 수 없습니다.

당시 집으로 문병 왔던 친구가 "그 아픔 너무 잘 알지만, 이 세상에 남아 같이 할 일 많으니 기저귀 차고서라도 같이 살아 달라." 며 울었습니다. 좋은 친구 아픈 말을 듣고 며칠을 서럽게 울었습니다. 늘 가족보다 더 큰 위로를 주는 친구의 간절함에, 남은 삶은 하느님께서 거저 주신 것이라 생각하기로 했습니다. 뼈 나이 여든으로 남은 시간이 얼마일지는 모르겠습니다. 허나 할 수 있다면, 조금이라도 가진 것이 있다면 나누며 더 나누며 봉사하며 재능 기부하며 행복하게 살다가 기쁘게 자랑스럽게 웃으며 아버지께 가기로 결정했습니다. 그럼에도 온 마음과 몸에 깊숙하게 스며든 슬픔과 아픔이 만성 우울증이 되어 평생 약을 먹어야 할 듯합니다. 그러나 평생 볼 드라마와 책, 공부할 것이 넘치고, 무엇보다 필요할 때 복용할 수 있는 꼭 필요한 약이 있음에 감사합니다.

아버지!

떠나신 이후 매 겨울을 아프게 맞으며 지내다 십년 전 한겨울에 남쪽 아프리카 스와질란드(현재, 에스와티니)라는 작고 아름다운 나라를 방문하게 되었습니다. 남은 인생 재능기부와 봉사를 위해 찾았던 아프리카 첫 번째 국가입니다. 이후 현재까지도 심각한 저림과 통증을 해결하고자 아프리카를 찾은 것이 아니었습니다만, 한순간 붓기, 저림, 통증이 덜하다는 사실을 발견하고 놀랐고 감동했습니다. 밖으로 나가기 전 이미 추운 마음 가득하지요. 그렇게 밖으로 나서는 순간 차갑고 세찬 바람 몰아치고 춥고 습한 겨울이라도, 몸이 아프다고 아프리카로 떠나올 수 있는 이가 많지 않을 것입니다. 아버지 잘 아시듯이 우리나라에서 아프리카까지 오가는 하늘 여정 시간 참으로 멀고 또 깁니다. 그리고 아프리카 몇 개 국가를 제외하고는 직항조차 없습니다. 그럼에도 이 멀고 먼 나라 아프리카 대륙엔 고단한 여정마저 상쇄할 강렬하고 아름답게 가까이 빛나는 태양이 있습니다. 아프리카에 도착해 하루쯤 지나면 몸에 부종이 줄고 저리고 어지러운 증상이 썩 좋아집니다. 아프리카 대륙 특성 상 습기 없고 강렬한 태양에서 뿜어져 나오는 어떤 에너지 덕분이 아닐까 합니다. 가족 친지와 친구들은 그리 더운 아프리카에서 어찌 생활하느냐고 묻기도 지만, 저에게는 그저 그런 무더운 아프리카 대륙이 아니라 '아! 참 따뜻해 기운이 생기네. 다시 살고 싶어.' 느끼게 하는 곳입니다. 8년 전부터 방학 때면 이곳 아프리카에서 우리 국가 프로젝트와 제가 세운「아프리카 아시아 희망연

대, AASH」 프로젝트를 진행합니다. 아프리카 주민이 '삶의 의미에 의지'를 갖도록 돕기 위해 개발한 로고아트워(LogoArtwork) 상담 교육자 과정을 운영하며 「한국미술치료상담학회」미술상담치료사 자격증을 주고 있습니다. 감사하게도 미술치료상담 전문가이니 가능한 일입니다. 아프리카 대륙 55개국에 1명 이상 제자를 두는 것이 마지막 삶의 의미라고 발견했습니다.

온 몸과 마음이 절이고 조이는 듯 아픈 통증을 잊고자 공부에 열중했는지도 모르겠습니다. 아버지 선천하시기 전 이미 간호학과 국문학을 공부하고 지역사회보건간호 박사과정을 마쳤지요. 이후 스스로 아픈 마음 치유를 위해서 였는지 모르겠습니다. 정신분석과 의미치료 공부를 시작하며 그간 부족하다 생각해 목말랐던 심리학을 공부하였습니다. 아프리카 상황에 맞는 사회치유와 정신건강증진 교육과정 개발을 위해 교육학 박사과정을 시작했습니다. 혹자는 학위 수집가가 아니냐 고 하기도 합니다만. 전 무엇인가 집중할 때, 특히 드라마 보고, 책 읽고, 글 쓰는 시간엔 통증을 잊을 수 있으니 천운입니다. 이 성실함과 삶에 진정성도 아버지에게 받은 것임을 잘 압니다. 저는 2박 3일, 아니 일주일, 한 달까지도 한 자리에 앉아 TV도 책도 보며 글을 쓸 수 있습니다. 엉덩이 뼈 부위, 손목 주변과 손가락에 굳은살이야 뭐 차라리 훈장이자 애교입니다. 다른 이들은 이해할 수 없겠지만, 스스로 잘 압니다. 아마도 살기 위한 몸부림이 공부였을 것을 요. 살기 위해 한 공부가 아프리카 주민을 조금이라도 살리는 일과 돕는 일에 잘 쓰이고 있으니 더할 수 없이 고맙고 감사한 일입니다.

아버지!

우리나라에 유례없는 한파가 몰려왔던 올 일월 중순경 서아프리카 가나에 도착했습니다. 당연히 그러하듯 여행이 아닌 출장이라 회의와 보고서 작성 등 일이 많고 바쁘지만 따뜻해서 행복합니다. 이번엔 중요한 프로젝트를 맡아 우리나라 겨울이 다 가도록 있을 것 같습니다. 물론 이리 추운 한겨울에 선거 유세로 수고하는 아버지 맏사위 이서방과 아들 규에게 좀 많이 미안합니다. 그리고 이 덥고 가난한 환경에서 견디고 살아내느라 애쓰는 가나 국민에게도 늘 미안한 마음입니다.

아프리카 가나는 현재 IMF 상황이고 물가는 점점 더 올라가고 국민 삶은 척박하고 척박합니다. 전쟁 중이거나 가난한 나라 여성 아동 장애인 노인 등 취약계층의 고단함을 어찌 말로 다 표현할 수 있을지 모르겠습니다. 가나는 사하라 사막을 기준으로 아래 서쪽에 위치해 있어 서아프리카 국가라고 칭합니다. 아프리카 대륙에서 사하라이남 아프리카 국가가 가장 가난하고 정치적 경제적 불평등이 심한 곳입니다. 우리나라 인당 GDP는 2021년 3만 5373달러까지 증가했다가 2022년 3만 2886달러였습니다. 아버지 낳고 길러 주신 대한민국 국민임을 감사합니다. 이런 우리에 비해 가나는 2022년 기준 인당 GDP가 겨우 2353달러에 불과하니 사회문화적 정치경제적 측면에서 차이가 큽니다.

저는 아버지 고운 딸로 태어나, 이리 가난과 불평등으로 고통받는 이들을 자세히 보지 못했습니다. 아프리카 방문 시 주민들. 특히 아이와 여성들을 보며 가슴 아파 애절해하는 제게 선배들은 우리나라 일제 강점기와 6.25전쟁 당시 이런 모습이었다고들 합니다. 자동차 도로에 나갈라 치면 바나나 등 열대과일을 가득 담은 바구니, 강물 생선을 가득 담은 바구니, 집에서 만든 코코넛 주스나 오일을 담은 바구니와 집에서 만든 딱딱한 밀 빵을 가득 담은 바구니를 머리에 이고 등에 지고 사달라고 소리 지르는 여성들을 봅니다. 또한, 옷감을 몸에 두르며 파는 여성, 구제 옷을 들고 파는 여성, 무엇이라도 파는 여성들을 봅니다. 이들은 대부분 거친 옷에 맨발이거나 금방이라도 끊어질 듯 얇고 낡은 슬리퍼를 신고 본인 등치보다 더 큰 바구니를 이고 지고 팔아보려고 안간힘을 씁니다. 이리 조금이라도 팔아야 자식을 먹이고 입히고 교육시킬 수 있으니까요. 아프리카 방문 때마다 아버지를 생각합니다. 당신은 우리나라 6.25전쟁 이후 전쟁 미망인의 고난을 아셨기에, 여성도 전문직으로 자기 삶을 살아야 한다고 강조한 간절한 마음을 이해하게 됩니다. 철학과를 가겠다는 맏딸에게 하신 그 간곡한 당부 덕분에 아버지 낳아 길러 주신 네 자매는 모두 유능한 전문직으로서 맡겨진 사회적 역할을 다하며 살고 있습니다.

며칠 전 이 곳 가나 볼타지역 최초 대학병원 건축 부지에 들러 병원 관계자들을 만났습니다. 이 대학병원은 우리나라 수출입은행 차관으로 짓는데, 건축 타당성 조사 연구하러 왔습니다. 이들에게 무엇이라도 줄 수 있는 나라에 태어나게 해 주셔서 고맙습니다. 무엇보다 좋은 어른이었던 아버지 딸임에 감사합니다. 병원 관계자들이 반드시 필요한 의료전문분야, 첨단의료기기, 검사장비, 교육훈련분야에 대해 얘기하고 또 얘기했습니다. 그저 끄덕이며 듣고 들었습니다. 이들에게 필요한 것을 잘 갖출 수 있다면 무에 걱정하겠습니까 만, 이것이 어느 날 하늘에서 떨어지는 것도 아니고 땅에서 캘 수 있는 것도 아니니 더 많은 시간과 노력이 필요하겠지요. 이들 간절함을 어찌 모르겠습니까 만 이 지역 보건의료수요를 충족할 방안을 마련할 수나 있을지 고민입니다. 우선 어떻게 도울까 생각하고 있습니다. 먼저 제가 할 수 있는 교육이라도 조금씩 해보기로 하고 지원자를 받았습니다. 2월 말에 돌아가서 가나 볼타지역 「Ho 교육병원 타당성 조사」 출장보고서를 작성하면서, 온라인(줌 또는 웹이나 이용) 교육과정을 조금 더 열어볼까 합니다. 아버지가 교육하던 시기엔 온라인 교육과정이 대중적이진 않았지요. 그런데 세계적 재난사태 「코로나 19」이후 온라인 교육이 대세가 되고 있습니다. 아버지 맏딸이 「아시아태평양공중보건학회 사이버대학원」대표입니다. 허리가 아프고 다리 근력이 부족해 오래 서있을 수 없으나, 아직 머리, 입, 안경 낀 두 눈, 양 손 손가락이 아직 성합니다. 노트북과 합체되는 시간이 이리 많은데도 말입니다. 감사하게 온라인 교육 재능 기부할 시간이 조금이라도 더 남아있길 바랍니다.

오늘 아침 식사를 하러 갔다가 아름드리로 보아 오백 년 족히 넘었을 나뭇잎 사이로 비추는 신비하고 강렬한 찰나 빛을 보았습니다. 순간 뭉클했고 감사기도가 나왔습니다. 아버지 부족한 딸의 기도를 들어주시겠는지요?

아침.

빛으로 오신 하느님.

고맙습니다. 감사합니다. 사랑합니다.

보살펴 주소서.

당신 보시기에 조금 재능이라도 남아 있다면 모두 써 주소서.

저는 괜찮아오니 당신 뜻대로 하소서.

다만 전 더 나누며 봉사하며 희생하며 살겠습니다.

당신 보시기에 좋으시다면, 맘에 드신다면

부디 제 남편과 아들을 도와 주소서.

그들에게 솔로몬과 같은 큰 지혜와 총명을 주소서.

내 아버지!

서아프리카 가나 볼타지역에서 맞은 2024년 갑진(甲辰)년 설날입니다. 요즈음엔 음력설이라는 의미로 구정(舊正)이라 칭하고 신정(新正)도 있어 가족 특성에 맞게 설 제사를 선택하기도 합니다만, 제 기억으로는 색동저고리 예쁘게 입고 조상님께 제사를 올리는 날이 음력 설이었습니다. 이 설 유래가 신라시대부터 라는 설이 있으니 우리 집안 선조이실 최치원 할아버지 때부터 제사가 시작되었을 수 있겠지요. 어린 시절 설날이면 종알종알거리며 해맑고 행복하기만 했던 풍경이 떠오릅니다. 바느질 솜씨가 유독 뛰어났던 어머니는 설 전 며칠 밤을 새워 맏딸 한복과 아버지 한복 바느질을 하셨지요. 아버지가 설날에 입으시던 연회색 바지저고리와 눈보다 더 흰 두루마기가 어찌나 근사하고 멋있게 잘 어울렸는지요. 아버지는 깔끔하고 하얀 피부에 더해 잘 생기셨고 키도 크셨으니 그러했지요. 기억하기에 아버지만큼 흰색 한복 두루마기가 잘 어울리는 이는 없습니다. 지금까지 지갑에 그리도 멋있던 아버지 사진이 있습니다.

어머니가 만들어 주시던 색동저고리를 입은 시기는 일곱 살 이전까지 로 기억합니다. 참으로 고운 한복이었지요. 빨강, 주황, 노랑, 파랑색과 보라색이 잘 어우러져 고운 색동저고리와 빨강색 한복치마를 입고 조상님께 명절 제사를 올리고, 아버지, 어머니, 숙부 숙모님들께 세배를 드렸지요. 아버지는 늘 새로 나온 빤짝 반짝한 동전을 늘 준비하셨지요. 버스비가 2. 3원이던 시절이니 세뱃돈 10원이나 20원을 받고 뛸 듯이 기뻐하며 문방구로 가곤 했지요. 어찌 그리도 예쁜 연필, 지우개와 수첩 사는 것을 좋아했는지 모르겠습니다. 이순이 넘은 지금까지 습관입니다. 늘 가방에 몇 개식 들어 있답니다. 숙모 숙부님과 친인척분 사랑을 한 몸에 받은 종갓집 맏딸이었지요. 지금 생각해도 고운 색동저고리에 빨강색 한복치마가 잘 어울리는 예쁜 아이였습니다. 아버지는 어머니가 곱게 지은 눈보다 더 흰색 두루마기를 입고 겨울 세찬 바람에 두루마기 고름 휘날리며 친지 어른들께 세배를 다니셨지요. 멋있는 모습이 자랑스러웠습니다.

여덟 살 이후 아버지 유일 아들이자 남동생 훈이 태어나기 전까지 그저 예쁘고 행복하기만 하면 되었습니다. 태어나면서 호흡기가 약했던 훈이었기에 어머니는 아버지 한복만 지으셨고, 맏딸 색동저고리 한복은 손이 많이 간다며 기성품을 사 주셨지요. 헌데 기성품이란 것이 따뜻한 목회 솜을 넣어 정성 다해 지었던 색동저고리 한복보다 더 부드럽고 따뜻하고 예쁘지 않아 심통을 부렸던 것 같습니다. 아들 없는 집안 둘째 따님인 어머니 관심이 모두 훈에게 향했던 것은 어쩌면 자연스런 현상이었지요. 이런 어머니에게 가끔 심통이 났던 것 같습니다. 심통이 났더라도 감정 표현을 자제하도록 교육받은 맏딸인지라 골방에서 혼자 눈물 찔끔거리는 정도였지요. 자식 감정에 예민했던 어머니는 맏딸이 심통 났음을 인지하셨지요. 그럼에도 모른 척할 수밖에 없는 상황임을 알면서도 어린 마음에 상처였습니다. 돌이켜보면 참 어리석었습니다. 자식을 키워보니 더 잘 알게 되었습니다. 아들 하나 키우는데도 그리 힘들었는데, 오 남매를 모두 전문가로 키우신 아버지 어머니가 참 대단하셨다는 것을 요.

좋았던 아버지!

떠나 신지 이리 오래 되었습니다. 가신지 벌써 17년째이고 아버지 맏딸은 회갑을 맞았습니다.

작년 구정 며칠 후에 어머니가 가셨습니다. 어머니는 잘 만나셨는지요? 혹여 부부싸움을 하진 않으셨는지요? 어머니 아버지는 성향이 달라도 너무 많이 달랐습니다. 아버지 인내 배려가 아니었다면 저희 오 남매 제대로 성장했을까 생각할 때도 있습니다. 어머니는 당신으로선 최선이었으나, 늘 2% 부족하신 듯했습니다. 아버지는 맏이였고, 어머니는 둘째여서 그럴 수도 있습니다. 아버지는 딱 지금 맏딸 모습이셨습니다. 모두 그런 것은 아니겠으나, 출생순서가 성향에 많은 영향을 미친다는 연구결과도 있습니다.

이제 아버지 아들 훈 얘기를 해이겠습니다. 그 얘기가 힘들어 앞서 이리 중언부언했습니다. 아버지 유일한 아들이자 제 유일한 남동생 훈이 지난 추석 명절을 며칠 앞두고 떠났습니다. 작년 여름방학에 아프리카로 나오면서 만났을 때도, 위장관계 암이라 아버지 막내딸이 주치의였기에 국제전화를 했을 때에도 그리 빨리 떠날 줄 상상을 못했습니다. 혹여 제가 아프리카로 나가지 않고 그 애 곁에 있었다면 달라졌을지도 모른다는 생각을 할 때 아버지께 죄송합니다. 어머니는 오랜 시간 병상에 계셨고 아버지 떠나시고도 십 육년을 더 사셨으니 더 이상 지상에서 못 뵌다는 아쉬움이외 그리 애절하지도 서럽지도 않았습니다.

작년 여름 아프리카 일정이 끝나가던 8월 초에 막내에게 전화를 받았습니다. 훈에게 표적 항암치료제가 듣지 않아 빠르게 진행될 것이라는 얘기를 듣고 아연 실색했습니다. 어찌할 바를 모르다 문자를 보냈습니다.

동생아. 내 동생아.
암보다 더 강하길.
그리하여 꼭 다시 건강하길.
암. 그 하찮은 것이 무어라고.
살아야 할 이유가 있다면,
삶이 의미가 있다면,
어떤 고통이라도 견디고 강하게 살아남아야지.
누나가 간절히 부탁한다.
부디 살아야 할 의미를 찾고 발견하고 견디어라. 살아라.

훈은 "꼭 살겠으니… 누나 걱정마라."고 답했었습니다.

어찌 수속해 귀국해 보니 정말 손쓸 수 없는 상태가 되어 있었습니다. 일단 너무 두렵고, 아버지 어머니께 죄송한 마음이었습니다. 훈을 만나러 가지 못하고 통화를 먼저 했습니다. 훈은 더 이상 치료를 포기하겠다고 연명의료중단서약서를 썼다고 했습니다. 더 늦어지면 얼굴 한번 보지 못하고 보낼 듯해 병원에 갔습니다. 큰 누이를 기다렸던지 1시간 정도 얘기 중 혈압이 떨어지고 있었습니다. 울면서 이대로 보낼 수 없다 하여 막내가 혈압상승제를 투여했습니다. 무기력했으나 또 기도했습니다.

하느님.

훈 요셉을 놓아야 하는데.

이제 그만 편하게 보내주어야 함을 잘 아는데.

스스로 연명의료중단 서약을 한 장한 동생인데요.

우리나라 연명의료중단제도 설계자인 이 못난 누이가 말입니다.

눈앞에서 막 떨어지던 혈압을 약으로 붙잡자고 했습니다.

단 2주 만에 저리 악화된 동생을 허망하게 보낼 수가 없습니다. 참으로 무기력합니다.

부디 도와 주소서.

혈압승화제로 의식을 회복한 훈에게 "누나가 미안하다", "미안하다.", "미안하다."고 용서를 청했습니다. 가톨릭 성가를 틀어둔 병실에서, 동생 두 손을 잡고 주님의 기도를 하고 또 했습니다. "네 아이 들이자 내 조카들 이 큰 누이가 잘 돌보겠으니, 가족도 선산 걱정도 놓고 편히 가라." 고 했습니다. 훈이 "누나. 고맙습니다.". 매형. 감사합니다." 그 말이 더 아팠습니다.

4년 넘게 병상에 계셨던 여든 일곱 어머니를 보낼 때 보다, 쉰 둘 남동생을 보내기가 백배, 아니 천배 더 쓰리고 아프고 힘이 들었습니다. 기도밖에 할 수 있는 것이 없었습니다.

하느님.

동생 훈 요셉이 조금만 아주 조금만 덜 아프게 해 주소서.

저희는 이제 그만 붙잡겠습니다.

한평생 고단했을 당신의 착한 아들, 내 아버지 소중한 아들,

내 아버지 어머니 귀한 아들, 선한 남동생 편히 고이 데려 가소서.

주님 당신께 맡깁니다.

당신 뜻대로 하소서.

아멘.

또 하루를 망설이다 병원으로 갔습니다. 동생을 잘 보내야 했습니다.

더 이상 참을 수 없을 만큼 무자비한 통증에 시달리며 정신마저 혼미해지는 훈을 모르핀 주사로 재우며 얘기했습니다.

훈.

착했던 내 동생.

이 밤 더 아프지 않게 가라고 널 재우며 운다.

이제 더 아프지 마라.

그저 편하기만 해라. 자면서 편안히 가라.

아버지 어머니가 널 빨리 보고 싶어 서둘러 데려가시려는 보다.

누나가 널 먼저 보내기엔 참 아프다.

어찌 잘해준 거 보다 미안한 게 더 많다. 부디 다 용서하고 편하게 떠나라.

하느님.

동생 훈 요셉이 조금만 덜 아프게 해 주소서.
이제 그만 붙잡겠습니다.
한평생 고단했을 당신의 착한 아들, 내 아버지 소중한 아들,
내 어머니 귀한 아들, 제 선한 남동생 편히 고이 데려 가소서.
주님. 당신께 맡깁니다. 당신 뜻대로 하소서.

그렇게 훈이 떠났습니다. 훈을 하늘나라로 영원히 보내는 날이 왔습니다. 발인 준비를 하면서 자주 술에 취하고 싶었습니다. 어머니 아버지 귀한 아들이 항암치료와, 횡격막부터 위장관 완전절제술 이후 살아서 견디기 힘들 것을 알기에 데려 가셨다고. 그렇게 변명처럼 자위했습니다. 그럼에도 불구하고, 진단 2달 반 만에 동생을 보내야 하는 큰 누이 애간장이 다 녹는 듯했습니다. 애가 끓었습니다. 너무 슬펐습니다. 너무 무기력했습니다. 동생 훈이게도 조카들에게도 죄스러웠습니다. 발인 날 새벽 못하는 술을 마시며, 훈을 편안히 보낼 준비를 하며 기도했습니다.

하느님.
일 잘하는 훈 요셉을 위해 기도합니다.
평생 하느님 말씀 따라 순명 하며 살아온 착한 동생이었습니다.
부디 하늘나라에서도 하느님의 사랑을 많이 받을 수 있는 동생이길 간절히 바랍니다.
하느님.

동생 훈 요셉을 당신 나라에 받아 주시어 보살펴 주소서.

이리 일찍 데려가셨으니 그 곳에서도 잘하는 일, 행복할 수 있는 일 많이 시키시 길 바랍니다.

아버지!

훈을 보내는 것이 무척 무장 아팠습니다. 작년 추석 며칠 앞둔 오후였습니다. 어머니에게 가장 소중하고 귀했던 아들이 아버지 곁으로 갔습니다. 어머니 떠나고 7개월 만이었습니다. 건축현장에서 일하며 지독히 술을 좋아했던 훈이었습니다. 쉰 중반 신체 식도 위 부위에서 다소 빠르게 진행할 몹쓸 것을 발견하고 3개월이 좀 못되어 떠났지요. 아버지 손자 수는 제 아빠가 할머니를 선산에 묻고 돌아온 이후 밥 보다 술로 살았다고 했습니다. 어찌 그리 술이 좋았을까요? 아마 어머니가 지독히도 견디기 힘든 항암치료로 애쓸 귀한 아들이 안쓰러워 데려가시지 않았을까요? 훈이 떠나기 일주일 전에 부모님 계신 선산이 호랑이보다 무서운 사채업자에게 저당 잡혀 있음을 알게 되었습니다. 떠나기 전에 사채를 해결하고 조금이라도 편하게 보내려고 무한 애를 썼습니다. 그렇게 머릿속이 새까맣다가, 또 하얗게 될 정도 지친 상태에서 동생을 재웠습니다. 조용히 떠나보냈습니다. 장례식 이후 훈이 처와 자식을 위해 남겼다는 유산에 대해 들었습니다. 자신이 떠나고 남겨질 가족에게 최선이었을 것이나, 선산을 저당 잡힌 상태에서 그것이 가능했다는 사실이 충격이었습니다.

K아들과 K맏딸 차이일까요? 성향 차이일까요? 가치 철학 차이일 수도 있겠지요. 하늘나라로 보내기 전과 조금 다른 묘하고 표현하기 힘든 충격이었습니다. 윤리적이지 못한 태도에 화가 났을까요? 남편에게도 아들에게도 며느리에게도 부끄러웠습니다. 선산을 가지 않겠다던 훈을 공원묘지에 묻고 돌아와 심한 열병을 앓았습니다. 입 주위에 포진, 머리와 안면신경을 휘감는 대상포진으로 먹지도 말하기도 힘든 통증이었습니다. 먹을 때마다 토했습니다. 슬픔과 서운한 감정을 표현하는 모든 단어, 외로움, 괴로움, 속상함, 아까움, 서글픔 등 감정에 불길을 피하지 못하는 마른나무처럼 마구 휘둘리며 어지러워 감당하기 힘들었습니다.

아버지 맏딸이 그렇지요. 뭘 조금이라도 잘못하거나 거짓말을 하고는 스스로 참지 못해 고백하고 매 맞는 이지요. 양심에 따라 사는 것을 가르쳐준 아버지였기에 그런 듯합니다. 성향이 그렇습니다. MBTI 'ISTJ.', 명리학 '신사일주.'가 그렇지요. 아버지께 선 맏딸에게 타고난 성향을 강화 시키신 것이지요. 이런 전 어머니에게 가장 많이 놀라고 힘들어 울었습니다. 집안일을 맏딸이 잘 한다고 자주 맡겼지요. 맏딸을 '청소대장.'이라고 하셨지요. 아버지 몰래 금전 사고 저지르고 급하다고 우기니 대출을 받아 드렸고, 동생이 대출을 갚지 못해 아버지 월

급 차압이 들어올지도 모른다고 하시기에 석사 4학기 등록금도 내어 드렸어요. 훈이 아프다고 돈 내놓으라 시면 카드 빚도 내어 드렸지요. 평생 어머니 ATM기기였습니다. 어머니는 아버지를 똑 닮은 절 다루는 방법을 잘 알았던 것입니다. 인생에서 어머니와 어머니 똑 닮은 동생이 참으로 힘들었습니다. 아버지는 이런 맏딸 사고와 행동을 딱하게 여기셨고, 귀신이 있다면 그 보다 더 행동이 빠른 어머니를 말리곤 하셨으나 늘 버거워 하셨지요. 이런 자식은 유심히 세심히 잘 보살펴주어야 하는데, 어머니는 둘째 속성을 고스란히 갖고 비판도 반성도 없이 오로지 자신의 삶을 산이었습니다. 아버지가 고생하는 맏딸 딱하다며 자주 편지로 사과를 하셨지요. 그리 주신 따뜻한 마음 간직하고 있기에 여태 잘 살고 있습니다. 결국 어머니 돌아가시기 전까지 맏딸 집, 노인병원과 요양원에도 모시며 간병했습니다. 어머니 자신을 똑 닮았다고 맏딸이 부럽도록 사랑하고 좋아했던 자식들은 어머니를 그다지 달가워하지 않았습니다. 맏딸이 이런 성향이니, 자주 동생들에게 미안하다고 사과를 합니다만 사과를 받진 못하고 살고 있습니다. 그게 타고난 팔자인지 만든 팔자인지 모르겠습니다. 어떤 지인은 “전생에 죄를 많이 지은 것이 아니야.” 얘기합니다. 가끔은 그럴 수도 있다는 생각이 듭니다. “아버지. 진정 맏딸은 죄 많은 저주받는 인생일지요.” 물으면 “당연히 그렇지 않다.”하시겠지요. 저도 이만큼 살아보니 꼭 그렇지만 않다는 생각입니다만, 사건이 닥칠 때 상황을 마주할 때엔 늘 버겁고 힘들고 무겁습니다. 맏딸 자리가 그렇습니다. 맏이는 맏이의 몫이 있고, 둘째는 둘째 몫이, 셋째는 또 그 몫이, 아들은 아들 몫이 있고 막내는 막내 몫이 있나 봅니다. 태어난 순서에 따라 성격 성향이 다르다는 이론이 타당함을 체험하고 살았습니다. 이순이 지난 지금까지 아버지 맏딸은 조금이라도 잘못한 것이 있으면 아들에게도 며느리에게도 손자에게도 사과하고 용서 청하고 남편에게도 그러합니다. 아버지 가르침대로 살고 있습니다.

그렇게 선산 사채 정리하고 훈을 보내고 생각이 꼬리에 꼬리를 물고 늪에 빠져 허우적거리며 죽도 제대로 먹지 못했습니다. 그러다가 아침 산속 수도원 새벽미사 후 수사 님 기르시는 호박 잎에 시선 딱 꽂혔습니다. "수사 님. 저 이것 먹음 기운 날 것 같습니다.", "먹을 수 있음 많이 따가라."는 수사 님 말씀이 따뜻해 감동했습니다. 아버지. 맏딸이 좋아했던 쑥 절편과 호박 잎 기억하시지요. 수사님에게 얻어온 호박 잎 까서 쪄서 아버지가 사랑했던 이 서방 표 된장찌개에 찍어 먹고 조금 기운을 차렸습니다. 호박 잎을 먹으며 "아. 다시 힘내 살고 싶어." 중얼거렸습니다. "어쩔 수 없는 촌년이네." 하며 이서방과 웃었습니다. 아버지 이 서방을 똑 닮은 큰손자 우가 있습니다. 우리 집 보물 단지이고 참한 영재입니다. 할머니가 삼촌할아버지 하늘나라로 보내고 많이 슬플까 염려돼 곁을 떠나질 않았습니다. 곁에서 종알종알 거리는 예쁜 목소리와 고운 마음에 조금씩 나아졌습니다. 일곱 살 아이가 어른보다 더 어른스러워요. 아버지 제가 딱 저런 모습이었을까요? 아버지 맏딸이 꼭 애 어른 같았지요.

그리 아프게 앓던 중에 60년 전 우리 집 곡식이 익어가던 황금 들판이 아름다운 가을날에 어머니 아버지 첫째로 태어난 저를 생각했습니다. 부모님 결혼 여섯 해에 겨우 얻은 자식이었습니다. 이 세상 가장 무엇보다 더 귀한 보석과 같은 존재였을 것입니다. 기억엔 없지만 사진이 남아있습니다. 당시 어머니가 출산 전에 어떤 충격을 받은 이후 하혈이 심한 상태에서 태어났다고 들었습니다. 태아가 살아서 태어난 것이 기적이었다고 하셨지요. 당연히 몸은 볼품없이 작고 약했고, 어머니는 읍내에 하나 있는 병원과 보건소를 거의 매일 방문했다고 하셨습니다. 가끔 어머니는 맏딸이 마음에 들지 않는다 싶으면 "저 것을.. 내가 저를 어떻게 살려내 키웠는데..."하며 한숨을 쉬곤 하셨지요. 1960년 대 당시 우리나라에 건강보험제도조차 없었으니, 비용이 얼마나 많이 들었을 지 감히 짐작할 수 있지요. 어머니는 할 수 있는 모든 치료를 시도하셨을 것을 압니다. 수시로 경기, 감기. 설사와 알레르기를 달고 사는 맏딸을 들쳐 업고 도내 병원 순례를 하셨을 것입니다. 조산아라 심장이 약하고 소화기관이 미처 제대로 형성되지 못한 맏딸은 오롯이 부모님 정성과 비용으로 자란 것을 압니다. 추측하 건데 당시 우리 보건의료 상황에서 상당한 스테로이드 계열 약재를 많이 쓰지 않았을까 합니다. 자라면서 심장은 좋아졌으나, 경기, 설사와 온 몸 두드러기는 달고 살았습니다. 그렇게 많은 약을 복용했으니 위장관이 형편없이 약해 자주 토하고 체하고 설사가 일상이었지요. 또한 수시로 나타나는 방광염, 신장염, 이석증과 위장염은 평생 안고 갈 만성질환이 되었습니다. 때론 천형이 아닐까 서러운 생각하다가 "이리 살아있으니 좋아하는 일 할 수 있고 글도 쓸 수 있다. 부모님이 살려주신 것만으로 감사하자."로 빠르게 전환합니다. 아버지가 주신 유산이자 타고난 복인 듯합니다. 난관과 난간에서 심각하게 주눅 들지 않습니다. 오히려 당차게 맞서지요. 생각대로 일이 잘 풀리지 않았더라도 좌절은 그리 오래 걸리지 않습니다. 당장 성과를 못 내더라도 어떤 의미가 있다고 생각하며 삶의 의미를 발견하려고 노력합니다. 빅터 프랭클 박사 이론 인간의 자유의지와 삶에 의지에 대해 절대 신뢰하기에 그렇습니다.

아버지 맏딸이 기억하는 첫 장면이 있습니다. 막 걷기 시작했을 때 어머니가 사준 예쁜 꽃분홍색 고무신을 신고, 집 앞으로 큰 강이 흐르는 한수 외가에 방문했던 것 같습니다. 옛날 집 댓돌 위에 신발을 예쁘게 가지런하게 두었습니다. 어렸을 때도 그리 깔끔했으니 어머니가 청소대장 별명을 주셨지요. 두 번째 기억은 언니보다 덩치가 더 컸던 둘째 영이 집 앞마당에서 업어달라고 떼써서 업다가 넘어져 울었던 기억입니다. 늘 어렵다 생각지 않고 시도하고 또 시도합니다. 어디를 가더라도 주저치 않고 씩씩하게 용기 있는 행동을 합니다. 둘째와 28개월, 셋째와 48개월 차이인데요. 생생한 기억이 또 있습니다. 다섯 살 추석 지나고 며칠 후 새벽에 깨어 보니 어머니가 미역국을 들고 계셨습니다. 맏딸이 잠에서 깨자 어머니는 "엄마 또 딸 낳았어.", "미역국 같이 먹을까." 당시 다섯 살 맏딸 눈에 엄마 얼굴이 많이 슬퍼 보였습니다. 그 때 알았습니다. 엄마에게 딸이 슬픈 존재라는 것을 요. 이후 3년 후 태어난 동생이 훈이었습니다. 엄마 사랑 강도가 지나치게 높았기에 우리 자매는 넷은 훈을 엄마아들이라 불렀습니다.

아버지!

훈을 보내고 거침없이 쉬지 않고 마구 압도하는 슬픔과 서글픔을 주체할 수 없었습니다. 먹지 못하니 할 수 있는 것이 기도밖에 없었습니다. 기도하고 또 기도했습니다.

내 동생. 훈 요셉

아직 어두운 새벽. 예수고난회 봉쇄수도원 새벽미사를 봉헌하려 출발한다.

이 큰누이가 특별히 좋아하는 곳에서, 널 내 마음에서 슬픔에서 잘 보내고 싶었다.

이 누이에게 이 작고 고요한 숲속 수도원 성당 새벽미사는 신비와 은총이 함께 하더라.

어느새 네가 그리 아프고 무력한 상태에서 앓다 떠난 지 2주일이 지났네.

그리 갑자기 떠나려는 너 얼마나 두려웠을까?

내 동생 얼마나 무서웠을까? 이 큰누이는 감히 가늠조차 되지 않는구나.

그곳은 어떠니?

이제 아프진 않지.

어머니 아버지 잘 뵈었어. 반겨 주셨어?

혹 더 살다 오지 못했다고 걱정하진 않으시니?

네가 떠나기 전 날이었지. 온 몸이 붓고, 혈뇨 혈변으로 고통스럽게 숨 몰아쉬던 널 안정제로 재우는 그날 밤을 곁에 있었지. 그리 잘 생겼던 너의 얼굴을 잘 닦아주고 에센스를 바르고 면도를 했더니 젊고 멋있던 네 모습이 보이더라.

그리고 목, 몸, 퉁퉁 부은 팔, 다리와 발을 닦아주며 울었다. "누나가 아무것도 못하고 이리 보내 미안하다고, 큰 누이라 자주 잔소리하고 혼내서 미안하다고, 더 세심히 네 건강을 살피지 못해 미안하다고, 더 잘해주지 못해 미안하다고, 네 아이들 잘 살피겠으니 걱정 말고 편히 가라고."

이 큰누이 말을 들었는지 눈에 눈물 한 방울이 맺혔다. 그런 네 손을 잡고 울고 또 울었다. "더 살아남아 여러 차례 수술 또 항암치료, 항암치료로 얼마나 더 고통스러울까... 처와 아이들에게 더 고통과 폐를 끼칠까 마음이 쓰였겠지. 그렇지?"

해서 가족 몰래 연명의료중단 서약도 했지? 어머니가 누이에게 강탈하다시피 해 들어주었던 암보험 진단 치료비로 가족에게 푸짐한 선물을 한 거지. 그렇기라도 하고 싶었겠지.

훈이 간절함이 고스란히 전해왔다. 그래 그랬구나. 그랬구나.

결정 과정 과정에서 얼마나 아프고 고단하고 외로웠을까?

네가 표적항암치료 시작하던 여름방학 중에 2달여 아프리카로 나가지 않았으면 어땠을까. 아쉽고 미안하다. 아버지 어머니에게 많이 죄송하다. 그럼에도 위로를 하자면 하느님이 널 이리 빨리 데려가는 데엔 우리가 모르는 그 분만의 큰 뜻이 있겠지.

해서, 이제 널 그만 보낸다. 누이가 너무 슬퍼하면 하늘나라에서도 아프고 슬플까 또 걱정이 되어서. 이제 부디 잘 가라. 내 동생. 하늘나라에서 편안한 안식이 있길 기도하마.

하느님. 내 주님. 이 고단했고 아팠던 영혼 요셉에게 평화와 안식을 주소서.

아버지!

암 진단 이후 3달도 미처 못 돼 장손이 떠났기에 조상님 기일을 제대로 확인을 못했네요. 출가외인인 늙어가는 딸들은 당연히 기억 못하는 안타깝고 슬픈 상황입니다. 훈이 처는 언제부터 인가 제사를 올리지 않아 기억이 없다 하고요. 이 또한 제 불찰 패착입니다. 연세 드신 두 분 숙모님 기억도 정확하지 않으시니 황당합니다. 고조모님 증조모님께서 소백산 죽령 어디에 불사를 하신 후 아버지를 얻었다 하셨지요. 위로 다섯 분 고모님 이후 여섯째로 종손인 아버지가 태어나셨지요. 종갓집 종손녀, K장녀 오지랖 발동 해 제적등본 살펴가며 조상님 기일 찾다가 아버지가 남기신 글 발견했습니다. 아버지는 엔지니어였고, 20대엔 육군 공병학교에서 가르치셨고, 30대엔 지역사회 문맹 퇴치 농촌 조합사업 등 계몽운동을 하셨지요. 허나 맏딸이 중학교 들어갈 시점에 학비 마련을 위해 자식 교육을 위해 공직으로 돌아가셨지요. 그렇게 우리 오 남매 모두 각 분야 최고 전문가로 키우셨습니다.

그리도 멋진 교육, 실습 강의를 하셨던 아버지께서는 은퇴 이후에도 10년을 더 일하셨습니다. 2008년 떠나기 몇 달 전까지도 행복하게 일하셨지요. 평생 양심에 따라 살아온 선한 분이셨습니다. 참으로 멋있고 정직하고 성실하고 자상한 아버지였습니다. 아버지 당신께서는 오남매 모두의 존경과 사랑을 받으셨고, 심지어 맏사위인 이의원이 세상에서 가장 존경하는 분이시지요. 아버지가 남기신 멋있고 힘찬 손 글씨 글을 읽으며 아버지를 그리워하는 밤입니다.

마음에 드는 글 인용함을 용서하시기 바랍니다.

"잃어버렸던 나

- 하늘을 우러러 한 점 부끄럼 없이 살자.
- 내 힘이 다할 때까지 최대한 베풀며 살자.
- 나에게 주어진 임무에 충실하자.
- 허황된 잡념에서 빨리 벗어나자.
- 타고난 운명에 순응하자
- 과거에 얽매이지 말고 내알을 생각하며 살자.

모든 일은 마음에 따라 잘할 수도 있고 거칠게 할 수도 있다. 사람으로서 어느 것을 택할

것인가? 이것이 인생이다. "

아! 아버지. 당신께서는 새 노트도 아끼시느라 철 지난 달력을 엮어 노트로 쓰셨네요. 당신 닮아 평생 명품 하나 갖지 않았지만, 노트, 책, 노트북 비용은 아끼지 않았는데.... 반성했습니다.

이제 어머니가 떠났고 훈이 또 아깝게 아프게 떠났습니다. 아버지 어머니와 훈이 잘 만나셨지요. 요즘엔 그리 자주 찾아주던 제 꿈에 어찌 오지 않으시는지요? 아버지 훈이 걱정 없이 편안해 지셨는지요?

아버지! 설 명절 조상님께 제사를 올려야 하는데, 아프리카 가나에 있습니다. 죄송합니다.

우리나라 수출입은행에서 지원하는 급하고 중요한 가나 볼타지역 대학병원 건축 프로젝트가 생겼습니다. 어쩌면 한 집안에서 두 집안 조상님 제사를 올리는 것이 마음이 쓰였기에 회피하고 싶었는지도 모르겠습니다. 아프리카로 떠나고 싶어 그리 열심히 제안서를 썼는지 모르겠습니다. 엉치뼈 부위와 팔목에 굳은살이 생길 정도로 쓰고 또 썼습니다. 조상님 제사와 아버지 사위 이 의원 선거에 관련해 힘들고 복잡한 상황을 떠나고 싶었나 봅니다. 선거준비는 잘 마치고 나왔으니 이 서방은 다 잘 될 겁니다. 아버지가 분명 살펴 주실 것을 믿습니다. 설 명절제사를 대신해 가나 Ho시 Sacred Heart 성당에서 미사 올리며 간절히 기도했습니다. 어머니 기일에도 미사를 올렸습니다. 아버지는 이해해주실 것을 믿습니다. 아버지.

아버지!

말 잘하는 똑똑한 맏딸이 앞에서 중언부언했듯이 어머니가 작년 구정 지나고 떠났고, 훈이는 추석 즈음에 떠났습니다. 그리 자주 찾아 주시던 꿈에 이즘에는 단 한 번도 오시지 않으십니다. 아버지가 맏딸 꿈에 오시지 않을 만큼, 딱 그만큼 편안해 지셨을 것이라고 스스로 위로합니다. 그러나, 아버지. 조상님 제사를 어찌하면 좋을지 꼭 여쭙고 싶습니다. 종갓집 맏딸인지라 못내 신경이 쓰입니다. 4대 제사를 모셨던 집안의 종손녀라 그러하겠지요. 마지막이더라도 꿈에 한번 찾아주어 어찌하라 일러주시기 간곡히 부탁드립니다. 그래도 제 꿈엔 자주 오심 좋겠습니다. 아버지 당신은 제 롤모델이자 최고선 Self이시니까요. 고백하자면 아버지 맏딸 노릇은 이제 그만 마치고, 그저 예쁜 딸이고 싶습니다. 허나 아버지 계신 곳으로 가기 전에 가당치 않겠지요. 훈이 보내고 많이 힘들었습니다. 그리 강조하셨던 양심에 따라 사는 선함이 왜 맏딸에게만 적용돼 늘 숨이 턱이 차는지에 대해 숙고했습니다. 아버지 선천하시고 힘들었던 순간들 어디 상의조차 할 수 없는 시간이었습니다. 고단했고 고독했습니다. 해서 아프리카를 방문했고 새로운 삶의 의미를 발견했습니다.

아버지! 맏딸은 앞으로도 삶에서 좌절하기 보단 희망을 구하고 의미를 발견하며 살겠습니다. 정치, 경제, 사회와 문화에 늘 관심을 갖고 더 찾아보고 들러 보고 공부하겠습니다. 어느 한 곳에 치우침 없이 비판적이며 반성적 사고를 하며 살겠습니다. 늘 잘 할 수 있는 일, 행복한 일 찾고 스스로 돌아보고 치유할 시간을 더 많이 마련하겠습니다.

"고맙습니다. 감사합니다. 사랑합니다. 내 아버지!"

아버지!

뵙는 그 날까지 평안하기만 하소서!

맏딸 최마리 올림

붉은 대포

진용

진용

2000년 10월생으로 서울에서 태어났다. 어릴 적 처음 살았던 곳이 육사 근처 '태강아파트'였고, 20여년의 학창시절과 일부 대학생활(중앙대)을 거쳐 다시 육사로 돌아왔다. 본래 전투기 조종사를 꿈꾸며 공군사관학교 진학을 목표로 하였으나, 굴절률 미달로 포기해야 했다. 하지만, 파일럿의 꿈은 포기해도 군인의 꿈은 포기하지 못해 육군사관학교 진학을 택했고, 현재는 매우 만족 중이다. 2024년 집필 기준으로 4학년 생도생활 중이며, 美 버지니아 군사학교로의 파견 과정에 있다.

instagram: @lz.10.10

전투, 전통의 시작.

희뿌연 연기가 앞을 가로막고 주변의 총포소리가 귀를 때려댄다. 주변의 신음소리와 고함소리가 오가고 모두가 혼비백산한 와중에 믿을 수 있는 건 손에 쥔 총과 저 멀리 보이는 깃발 뿐이다. 포탄이 후벼 판 들판에는 갈색 군복을 입은 군인 무리들이 자욱한 포연 속에서도 마치 하나의 성벽처럼 대열을 만들어 굳건히 섰다. 그 대열에는 하얀 깃발이 푸르른 하늘에 물결을 만들고 있었다. 모두가 포성에 놀라 몸을 움츠려들 때, 그들은 아랑곳하지 않고 북소리와 피리소리에 발을 맞추어 구를 뿐이었다. 흙이 묻고 찢어진 모자 아래에 비친 그들의 얼굴은 모두 앳된 소년들이다. 그럼에도 그들의 눈에는 겁이 없었다. 그들은 오로지 앞만 보며 걸어 나갈 뿐이었다.

"이건 퍼레이드가 아니야!"

앞의 전선에서 이미 전열을 잃고 무너진 한 늙은 병사가 소리쳤다.

포탄이 묵묵히 걷는 대열을 스치고 주변의 병사들이 총성 소리에 으스러지는 와중에도 그들은 필사적으로 대열을 유지했다. 드디어 전선에 도착한 소년들은 무너진 앞의 제대를 부축하고 전열을 가다듬었고 지휘관의 구령에 맞추어 일제히 총을 사격했다. 소년들은 군기와 사기가 높았지만, 그들이 디딘 들판에는 하얀 발들이 듬성듬성 보였고 군복은 찢어지고 헤져 성한 곳이 없었다. 비록 열악하게 입고 무장했지만, 소년들은 군인으로서 명예와 사명감이 가슴 속에 깊이 자리했다.

소년들이 전선에서 버티는 사이 지휘관들은 크게 고심하고 있었다.

"아군의 중앙이 뚫렸습니다. 중앙을 어서 메워야 합니다. 소년들이라도 투입하시죠."

부관이 지휘관에게 간곡히 청했다.

"소년들은 아직 준비가 되지 않았네. 어떻게 소년들을 저 사지로 몰아넣을 수 있겠는가?"

지휘관이 심각한 표정으로 대답했지만 달리 방도는 없었다. 한숨을 쉰 지휘관은 말했다.

"소년들을 투입하게. 신이시어 부디 저를 용서 하소서."

지휘관의 명령이 떨어지기 무섭게 전선에서 버티던 소년들은 날아오는 총포에도 아랑곳하지 않고 중앙을 메우기 위해 이동했다. 중앙은 상황이 더욱 심각했다. 울타리와 건물 뒤에 숨을 수는 있었지만 적의 포병이 그들을 향해 집중사격하기 시작했다. 건물의 벽돌이 으깨져 날아가고 울타리가 산산조각 되어 흩뿌려졌다.

"우리가 적 포대를 점령해야 해! 계속 여기에 있다간 우리가 전멸할 거야!"

한 소년의 외침에 모두가 대검을 뽑아 총에 착검했다. 다른 소년이 검을 뽑아 소리지르며 뛰쳐나가자 소년들은 다같이 포대를 향해 뛰쳐나갔다. 그들이 든 새하얀 깃발도 그들을 따라 펄럭이며 선두에 섰고 소년들은 총검을 앞으로 향하거나 어깨에 걸쳐 매고 다시 대열을 갖추어 뛰었다. 그들이 발을 구를 때마다 들판에서는 흙먼지가 자욱하게 피었고 땅이 흔들렸다. 저 멀리 번개가 내리치듯 포탄이 공중에서 폭

발하고 들판은 화염에 휩싸이니 그 모습이 마치 노을이 진 것 같았다. 적의 포대는 그들에게 발악하듯 포탄을 쏟아냈다. 소년들의 바로 앞에 포탄이 박혀 터지고 한 소년은 부상을 입어 바닥에 곤두박질 쳤다. 그의 모자는 벗겨져 앞에 뛰는 소년의 군화에 밟혔다. 희뿌연 포연이 그들의 앞길을 매캐하게 막아서도 그들은 검은 군복을 입고 누운 적들을 밟으며 뛰어나간다.

벽화, 전통의 계승.

무수히 많은 깃발이 늘어진 교회에서 낡은 나무 판자로 만들어진 바닥을 밟아 단상에 오르면 이제는 벽화로 남아버린 당시 역동적이었던 전투 장면을 볼 수 있다. 잘 훈련되지도, 잘 무장하지도 않았지만 명예와 사명감으로 뭉쳐 대포 앞으로 뛰어나갔던 이들은 그 명성을 이어나갔고 이제는 'VMI', 버지니아 군사학교라고 부른다.

사실 버지니아 군사학교는 원래부터 군사학교로 설립되지는 않았다. 버지니아 주 렉싱턴에 위치하여 무기고로 처음 운영되었으나, 워낙 군인들이 소란을 피웠단다. 결국 주민들은 이 군인들을 교육해야 한다는 여론을 형성하였으며, 논의 끝에 미국의 육군사관학교인 '웨스트 포인트'와 같은 군사학교로 만들어버리자는 결론을 냈다. 따라

서 1839년, 미국 역사상 최초로 주립 군사학교가 만들어지게 되는데, 그것이 바로 'Virginia Military Institute', 'VMI'이다.

하지만, 이윽고 큰 문제가 발생하는데, 바로 1860년대 미국을 휘몰아 친 '남북전쟁'이었다. 버지니아는 남북전쟁에서 남부의 주요 세력권이 되었으며, VMI 역시 남부군 장교를 양성하기 위한 기관으로 활용된다. 심지어 미국 육군사관학교 출신들마저 자신의 출신 지역에 따라 북부군이 아닌 남부군으로도 나뉘었으니, 이는 미국과 미군의 역사상 크나큰 폭풍이나 다름이 없었던 셈이었고 VMI 역시 이러한 폭풍을 피해갈 수 없었다.

폭풍 속에서 빛을 발한 인물이 나오니, 남북전쟁 직전까지 VMI에서 교관을 맡고 있던 'Thomas Jonathan Jackson', 훗날 '스톤월(Stone Wall) 잭슨'으로 불리는 인물이다. VMI에서 그는 수학과 포병술을 담당하였는데, 그의 교습법은 정말 특이했다고 한다. 수업을 할 때 항상 교과서를 읽는 것이 전부였으며, 학생이 질문을 하면 대답은 하지 않고 교과서를 처음부터 다시 읽었다고 한다. 교습법에 있어 그는 소질이 없어 보였지만, 남북전쟁이 발발하자 자신의 소신에 따라 남부군의 장군으로 활약하였으며, 그의 군사적 재능은 남부군에게는 희망을, 북부군에게는 재앙을 선사했다. 그는 남북전쟁 개전 초기 남부군의 잭슨여단을 구성하여 지휘하였으며, 1861년 7월 벌어진 1차 불런 전투에서 북부군의 공세를 완강히 막아내어 돌담처럼 버틴다는 의미로 'Stone Wall' 이라는 별명을 얻게 되었다. 이후 그는 현재 버지니아 주와 웨스트 버지니아 주 사이의 'Shenandoah Valley', 셰넌도어 강변 근처에 형성된 계곡 전역(戰域)에서 활약하였고 이후 남부군의 총사령관인 리 장군 휘하에서 북버지니아군 제2군단의 지휘를 맡기도 한다. 하지만 아이러니하게도 잭슨은 챈슬러즈빌 전투에서의 승리를 거둔 뒤, 사령부로 귀환하던 중 이들을 북부군 기병으로 오인한 남부군의 사격으로 피격당하였으며, 결국 회복하지 못한 채 사망하고 말았다.

인물도 인물이지만, VMI 자체도 남북전쟁에서 크게 활약했다. 점차 전선이 버지니아로 밀려 내려오자, 더 이상 교육에만 매진할 수 없었던 VMI는 생도들로 구성된 부대를 편성하여 직접 전투에 참전하기로 결정한다. 렉싱턴 주민들의 찬사와 성원을 받으며 출정한 VMI 생도 부대는 앞의 벽화에서 묘사된 것처럼 뉴 마켓 전투와 챈슬러즈빌 전투 등에서 활약하며 전과를 세워 나갔다. 물론 이에 따른 큰 희생 역시 따랐다. 아직 교육을 덜 받은 어린 생도들로 구성되었던 터라 전투에서의 사상자도 많았고, 이후 VMI가 위치한 렉싱턴 역시 북부군에게 함락당하며 VMI 건물과 배럭(병영)이 불타기도 하였다. 남북전쟁에서의 갖은 고초에도 불구하고 전쟁은 북부의 승리로 끝이 났다. 하지만, 미 연방은 VMI를 존치시켰으며, 심지어 북부의 일부 장군들도 VMI 출신들을 높이 평가했다. 그렇게 이어진 VMI의 명성과 전통, 명예는 이후 2차 세계대전 후반, 미 육군참모총장을 역임한 조지 마셜(George C. Marshall) 장군을 배출하는 쾌거로까지 이어졌다. 전후에 미국의 국무장관을 역임한 그는 유럽의 회복에 집중하는 '마셜 플랜'을 제안한 것으로 유명하다.

좌: Thomas Jonathan Jackson / 우: George C. Marshall

생활, 전통에 젖어들다.

육군사관학교에서 각종 전사(戰史)를 공부하던 나는 문득 남북전쟁에 관심을 갖게 되었다. 그렇게 찾아본 VMI의 역사를 보면 정말 독특하면서도 순탄치만은 않았던 역사를 지닌 군사학교가 아닌가 하는 생각이 든다. 이러한 역사와 정신을 계승하고 있는 조직에 나도 한번 들어가보고 싶다는 생각도 자주 들었다. 뿐만 아니라, 생도들이 직접 전쟁에 참전하여 활약했다는 점은 한국전쟁 당시 생도들이 직접 참전했던 우리 대한민국 육군사관학교의 역사와 맥을 함께한다는 부분에서 나의 흥미를 자극하기에 충분했다. VMI에서도 생활을 해보고 싶다는 생각을 지니고 있던 찰나, 기회가 왔다. 바로 우리 육사에서 VMI로 파견을 보낸다는 것이었다. 곧바로 각종 어학성적과 면접 준비를 하고 지원한 결과, 감사하게도 그 기회를 잡을 수 있었다.

파견에 선발되었다는 이야기를 듣고 차근차근 준비를 시작했다. 아무래도 군 관련 기관이다 보니 '파견'이라는 단어를 사용하지만, 사실상 일반 대학의 교환학생 프로그램과 마찬가지였다. 따라서 미국에서 사용할 J-1 비자 발급과 각종 통신, 금융 관련 행정을 모두 처리하며 정말 한국을 떠날 준비를 마쳤다.

"서울이 더 좋지 않아? 왜 굳이 그 시골에 가려고 해~"

VMI 파견을 준비하면서 들은 주변인의 말이다. 물론 당연히 맞는 말이다. 렉싱턴에 와보니 정말 한적하고 조용하더라. 차가 없으면 돌아다니기도 불편할 정도로 교통 인프라 구축도 잘 되어있지는 않은 편이었다. 16시간 넘는 비행으로 인천에서 애틀랜타, 애틀랜타에서 로어노크 공항에 도착한 나는 픽업 트럭이 올 때까지 4시간가량을 기다려야 했으니 교통 형편은 말 다한 셈이다. 그렇다고 픽업트럭 말고 학교에 갈 수 있는 방법을 찾으려니 걷는 것 외에는 전혀 없었다. 그러나 내가 버지니아 군사학교에 겨우 관광이나 하러 왔더냐. 그것은 아니었기에 크게 문제되지 않았다. 오히려 생활은 어떨까 하는 기대와 설렘, 한편으로는 걱정이 앞섰다.

픽업트럭을 타고 1시간을 달리니 저 멀리 누르스름한 성벽이 보였다. 정문에는 'Virginia Military Institute', 'Founded in 1839'라고 새겨져 있었다. 높이 선 깃대에는 성조기 하나와 버지니아 주 깃발이 휘날리고 있었다. 그리고 그 깃대 옆에는 붉은 바퀴와 틀을 가진 대포 네 문이 나의 눈에 들어왔다. 날은 어두워졌고 픽업트럭에서 내리니 나의 룸메이트들이 환대해주며 함께 짐을 옮겨주었다. 주변을 보니 다른 친구들도 모두 분주했다. 이들도 방학이 끝나고 복귀하는 날이었단다. 이후 기본적인 수속 절차를 밟은 나는 고단했던 버지니아로의 여정을 마치고 하루를 마무리했다.

하지만 잠을 자는 것부터 문제였다. VMI의 배럭(병영)에는 편안한 침대가 따로 없었기 때문이다. 전통적으로 VMI에서는 1839년 설립 당시부터 지금까지 'Rack'과 'Hay'를 사용하여 잠을 청한다. 'Rack'은 나무로 된 간이 침대인데, 매일 생도들은 이것을 아침마다 접어 정리하고 밤에 취침할 때에만 다시 펴서 침대로 사용한다. 'Hay'는 목장에서 자주 볼 수 있는 볏짚을 둘둘 말아놓은 건초를 뜻한다. 하지만 VMI에서는 매트리스 정도로 보면 된다. 그러면 왜 'Hay'라고 불리냐, 그것은 아침마다 실제 볏짚처럼 둘둘 말아서 정리해두기 때문이다. 룸메이트가 Rack을 펴주고 Hay를 얹어주어 잠을 청하니 조금 움직일 때마다 삐걱거리긴 했지만 나름 잠은 잘 왔다.

좌측부터: 접어서 정리한 Rack / 말아서 정리한 Hay /
Hay를 밖의 난간에 걸어놓은 월요일 아침

"얼른 옷 입어. 우리 아침 점호 나가야 해."

얼마 잔 것 같지도 않은데 벌써 아침이 밝았다. 월요일 아침이기에 오늘은 Hay를 사진과 같이 밖의 난간에 널어놓아야 했다. 이후 역시 군대는 군대라 아침 점호를 하는 모양이기에 옷을 입고 밖으로 나섰다. 이 곳의 아침 점호는 우리와 비슷하면서도 다르게 진행된다. 아침 점호 시작 전 지휘관 직책을 맡은 생도들이 깃대 주변에 정렬하고 각급 제대별로 도로에 정렬하여 인원을 보고한다. 이 점은 우리나라도 똑같이 하여 익숙한 장면이었다. 이후, 지휘관 생도의 구령이 떨어지면, 군악 생도가 직접 나팔을 불고 이에 맞추어 성조기와 버지니아 주 깃발이 올라간다. 그리고 그에 맞추어 올라가는 성조기와 버지니아 주 깃발에 경례를 하는 방식이다. 우리보다 간소하지만 체계는 확실히 갖추어진 모습이었다.

아침부터 새로운 경험을 한 나는 앞으로 한 학기의 생활 전, 'Poche' 라는 생도에게서 기본적인 학교 소개를 듣게 되었다. 각종 학교 시설을 견학하고 VMI의 역사와 생활 방식 등에 대해 심도 깊게 들을 수 있었다. 뿐만 아니라, 자신이 다니는 학교가 지니고 있는 역사와 그 전통에 대해 많은 자부심을 가지고 있는 것 같아 놀라울 따름이었다. 이는 나에게 많은 생각을 하도록 만들었다. 이때부터였을까? 무엇이 이들의 전통에 자부심을 가지도록 만들었는지, 아무리 규율이 엄격하고 답답해도 기꺼이 전통에 순응하도록 만들었는지에 대해 깊은 고민과 고

찰의 구덩이로 내몰렸다.

Poche 생도를 따라 견학하며 가장 인상깊었던 곳은 단연코 버지니아를 상징하는 여신이자 로마 선의 여신 '버츄스'(Virtus)가 앉아 고뇌하는 모습을 표현한 동상이 있는 곳이었다. 동상은 'Nichols Engineering Hall'이라는 공학관 입구 앞에 위치해 있으며, 그 동상 밑으로 남북전쟁 당시 전사한 생도들이 안장되어 있다.

여신은 고개를 아래로 떨구고 슬픔에 잠긴듯하다. 버지니아 주 깃발에서만 해도 독재의 신을 발로 밟으며 승리를 선언하듯 위풍당당하던 그녀의 모습은 찾을 수 없다. 그녀가 오른손으로 얼굴을 괴고 다른 한 손으로 창을 매만지는 모습은 그녀의 고심과 슬픔을 간접적으로 암시하기 충분했다. 전사한 생도들을 뒤로하고 슬픔과 비애에 잠겨 주변의 정적과 함께 고요한 그녀의 모습은 마치 자식 예수를 잃은 어머니 성모 마리아의 모습을 연상케 한다.

견학을 마친 다음날, 앞으로의 수업과 교육을 위한 행정 처리를 진행한 이후 명예제도에 대한 설명을 듣게 되었다. 사관학교들은 대부분 명예제도와 지휘근무제도로 운영된다. 생도들에게 명예의 중요성을 일깨움과 동시에 앞으로 야전에서의 지휘 역량을 직간접적으로 함양시키도록 하기 위함이다. 특히 명예제도는 생도들에게 각종 도덕적, 인성적 기준을 요구하는데, 가령 규정에 어긋나는 행위나 불명예스러운 행위를 교내 특정 생도가 하게 되면 명예위원회가 소집되어 관련 사안에 대한 처벌과 행정 처리를 논하게 되는 방식이다.

VMI에서의 명예제도는 더욱 체계적인 모습이었다. 생도들 사이에서 명예위원회를 구성하는 생도들이 있고 재판을 담당하는 생도들, 검사와 같이 수사를 담당하는 생도들이 모두 편성되어 있었다. 그리고 특정 제보나 신고를 받게 되면 즉시 검사 역할을 맡은 생도들이 관계자들에 대한 수사를 진행하며 관련 논의를 모두 비밀에 부친다. 이는 해당 생도들에 대한 명예의 보호차원이기도 하다. 그리고 궁극적으로 VMI 명예 재판장에서 실제 재판과 같이 해당 생도의 처벌을 결정하는데, 이때에도 일반 생도들 중에서 배심원 생도들을 무작위로 선출하여 참가하게 만든다. 또한, 변호인 역할을 맡는 생도들을 꾸려 변호를 할 수도 있다. 전반적으로 학교의 행정적 처리에 있어서 생도들의 참여 비율이 높다는 점이 특징인 것이다. 나아가, 명예재판에서 결과는 퇴교를 당하거나 당하지 않거나 둘 중 하나이기에 처벌의 수위 또한 매우 무겁다.

VMI에서 퇴교를 당하면 어떻게 될까? 보통 누군가 불미스러운 일로 퇴교를 당하게 되면 공적으로나 사적으로나 더 이상 관련된 이야기를 하지 않는 것이 보편적일 것이다. 하지만, VMI에서 명예 재판 결과로서 퇴교가 확정되면, 당사자는 바로 짐을 꾸려 학교를 나가야 한다.

그리고 당사자가 퇴교를 당한 사유를 공적으로 공개하는 절차를 거치게 된다. 이는 오히려 공적으로 퇴교 사유를 공개함으로써 퇴교와 관련된 거짓 소문이 생기는 것을 방지하기 위함이라고 한다.

퇴교 당일에서 다음날로 넘어가는 새벽 3시 30분, 북을 치는 소리가 울려퍼진다.

두두두두두… 촤앙! 퉁! 두두두두두… 촤앙! 퉁!

"일어나! 명예위원회다! 다들 일어나!"

누군가 우리 방 문을 두드리고 벌컥 열어젖히더니 외쳤다. 시계를 보니 새벽 3시 30분. 우리를 깨운 이들은 잠옷이 아닌 퍼레이드에 입는 푸르스름한 '코티'라는 예복을 입고 있었다. 잠결에 옷을 주섬주섬 입은 나는 룸메이트들과 함께 복도로 나섰다. 아직은 늦겨울이라 추위가 속으로 찔러 들어왔다. 모두가 중앙 광장을 바라보며 복도로 모여들자 점차 북소리는 잦아들었다.

척 척 척 척 척…

명예위원회가 열을 맞추어 광장에 들어서더니 멈추어 섰다. 이후 명예 위원 중 한 명이 대열에서 이탈하여 걸어 나와 중앙의 감시탑을 한 바퀴 돌아 걸으며 외쳤다.

"이번에 퇴교한 생도는 시험을 보는 중 부정 행위를 저질렀고, 이에 명예위원회에 회부되어 조사 및 재판한 결과, 퇴교 처리되었다!"

퇴교 사유를 공개한 이후 명예위원회는 다시 대열을 맞추어 배럭(병영) 정문으로 빠져나갔다. 우리는 각자 다시 잠에 들기 위해 방으로 웅성거리며 들어갔다.

"근데 왜 하필 세시 반에 하는 거야?"

내가 룸메이트에게 물었다. 그러자 그가 답했다.

"새벽 세시가 기독교적으로 'Devil's Hour'라고 악마의 시간이야. 영혼이 지옥으로 가는 과정의 중간에 해당하는 시간이라 그래. 정확하진 않지만 내가 알기로는 이승과 저승이 만나는 시간으로 알고 있는데 이때 하는 것이 우리 전통이야."

VMI는 기독교 성향이 매우 강한 학교이기도 하다. 따라서 교회와 각종 종교 관련 행사도 크게 활성화된 모습을 볼 수 있었다. 게다가 그것 또한 1839년부터 이어져 온 전통으로 자리잡고 있다. 나의 룸메이트 들도 시간이 나면 진지하게 성경의 내용으로 토론을 할 정도였으니 기독교가 이 학교에서 얼마나 큰 비중을 차지하는지 바로 느낄 수 있었다. 생도들 대부분이 성경을 탐독하고 토론하며 기독교에 진심이었고, 이것은 곧 이 학교의 근간이기도 했던 것이다.

다시금 잠에 청하고 일어난 다음날, 새벽에 강제로 일어났던 것이 꽤나 부담이었다. 아침부터 그리 상쾌하게 일어나지는 못한 채 수업에 들어가야 했다. VMI에서 듣는 수업은 모든 것이 영어로 진행되는 점에서 어렵기도, 새롭기도 했지만, 그래도 내가 원하는 과목들을 배우니 수업들은 수강할 맛이 났다. 특히나 'National Security Policy'라는 국가 방위 정책 과목에서는 미국의 시각에서 미국이 어떻게 각 정권의 흐름과 국제질서의 변화에 맞추어 대전략을 변화시키는가에 대한 내용을 배웠다. 앞으로 나의 군 생활에 매우 많은 도움이 될 것이라 기대되었던 만큼 많은 관심을 가졌던 과목이고 내용 또한 정말 재미있었던 기억이 크게 남는다.

수업이 끝나고 여느 때처럼 주변 친구들과 함께 밥을 먹으며, 이야기하던 중 하루는 'Khunsig'이라는 친구가 나에게 제안을 했다. 'Khunsig'은 태국계 미국인이자, 미군으로 태국에서 무관을 지내시던 아버지를 둔 친구였다. 이 친구와 함께 이야기하면 그의 아시아에 대한 이해도가 높아 감탄한 기억이 많이 남는다. 또한 한국어를 배우고자 하는 열망도 큰 친구였다.

"우리 하기식(下旗式) 할 때에 예포 쏘는거 알지? 나 포병대 소속인데 들어와서 같이 쏴볼래? 이번에는 퍼레이드 연습도 있을거야."

그의 제안에 나는 거절할 리 없었고 그대로 그 제안을 받아들였다.

나 또한 그들의 전통에 점차 스며들고 있었다.

'National Security Policy'를 수강하며 사용한 교재.

대포, 전통을 외치다.

학기가 시작한지 얼마 되지 않은 시점이라 방학간 퇴화된 퍼레이드의 감을 다시 익히고자 퍼레이드 연습을 진행하는 모습이었다. 악단을 맡는 생도들의 대열부터 차례로 배럭(병영)에서 빠져나와 잔디 광장으로 연주하며 들어섰다. 이후로 소대, 중대들이 제대를 맞추어 도열

하기 시작했다. 특히, VMI의 군악대는 두 부류로 나뉘는데, 일반 양악 제대와 백파이프 제대로 이루어져 있다. 백파이프 제대가 들어설 때에는 VMI와 버지니아의 상징인 'Shenandoah'를 연주하며 들어섰다. 스톤월 잭슨이 활약하던 셰넌도어 강변을 상징하는 그 노래를 말이다.

이들은 방열된 붉은 대포의 포대를 향해 음악과 북소리에 발맞추어 걸어나갔다. 잭슨이 타고 다니던 말, 'Little Sorrel'이 안장된 묘비를 지나고 붉은 대포의 포대를 지나갔다. 마치 옛 남북전쟁에서 포대를 향해 돌격했던 생도들의 제대를 다시 보는 듯하다. 포대로 돌격하며 내지른 함성이 이제는 백파이프의 소리로, 각자가 든 총검이 백파이프로 바뀌었을 뿐이었다. 이후 VMI의 흰 깃발과 성조기를 든 기수단이 지나가고 각 소대들이 붉은 소대기를 선두로 제대를 이루어 지나갔다.

백파이프의 공기를 찢는 듯한 음악소리가 귀를 찔러댄다. 주변 관객들의 환호와 박수가 오가고 모두가 모여든 와중에 보이는 건 손에 쥔 총과 저 멀리 보이는 깃발 뿐이다. 싱그러운 공기가 장악한 들판에는 푸르른 회색 군복을 입은 군인 무리들이 거센 바람 속에서도 마치 하나의 성벽처럼 대열을 만들어 굳건히 섰다. 그 대열에는 붉은 깃발들이 푸르른 하늘에 물결을 만들고 있었다. 관객들 모두가 늦겨울 바람에 몸을 움츠려들 때, 그들은 아랑곳하지 않고 북소리와 음악소리에 발을 맞추어 구를 뿐이었다. 검은 털이 달린 샤코 모자 아래에 비친 그들의 얼굴은 진정한 군인들이다. 그들의 눈에는 열정이 가득했다. 그들은 오로지 앞만 보며 걸어 나갈 뿐이었다.

퍼레이드 연습으로 시간이 점차 지나자 하기식(下旗式)을 할 시간이 다가왔다. 포대는 서둘러 포를 장전하고 성조기와 버지니아 주 깃발을 내리기 위한 트럼펫 소리를 기다렸다. 이윽고 오후 5시가 되자, 하기식을 알리는 트럼펫 소리가 울려퍼졌다.

"격발!"

포대장의 구령이 떨어지자 나는 포의 트리거(격발 장치)를 힘차게 잡아당겼다.

쿠웅!

105미리 포는 거대한 굉음을 내지르며 창공을 울렸다. 이윽고 희부

연 포연이 주변으로 퍼졌다.

지축을 흔드는 포성과 더불어 내가 지니고 있던 고민에 대한 답도 얻은 듯했다. 어떻게 우리는 전통을 만들고 계승하며, 아무리 어렵고 힘들더라도 전통에 자부심을 가지고 따를 수 있을까? 그것은 구성원 개개인이 하는 모든 사소한 일들이 전통을 만들기도, 계승된 전통을 유지하는데 기여하기도 한다는 것을 느낄 수 있을 때 가능하다는 것을 말이다. 비록 지금의 전통이 너무 답답하고 유연하지 않을 지도 모른다. 하지만 누군가가 한 행동이 또 다른 역사이자 전통이 되고, 다른 행동이 그 전통을 잇는데 기여한다는 것을 보고 느낀다면, 너도 나도 그 전통을 더욱 합리적으로 바꾸고 올바른 전통은 유지하는데 힘쓰려 들 것이다. 반대로, 개개인의 노력과 역량이 전통을 바꿀 수 없음을 인지하게 순간, 구성원들은 더 이상 그 전통을 계승 및 발전시키려 들지 않을 것이다. 그렇게 그 전통은 방치 및 악화되는 것이리라.

VMI에서는 생도들이 학교의 전통을 지키고 새로운 전통을 창조 및 발전시킬 수 있도록 다양한 방면에서의 생도들의 자율성과 참여도의 비중이 높았다. 학교의 고위 관계자들이나 해야 할 것만 같았던 퇴교 문제의 수사와 재판, 배심을 모두 생도들이 하고, 그들이 지닌 역사와 가치를 항상 생도들이 먼저 기억하고 계승하는 모습을 볼 수 있었다. 이러한 깨달음이 포성과 함께 내 뇌리에 스친 순간, 문득 생각이 들었다. 붉은 대포들은 어제도, 오늘도 그랬듯, 앞으로도 묵묵히 그 자리에 계속 있을 것이라는 것을 나는 확신할 수 있었다.

그렇게 나의 징검다리는 태평양을 건너 미국 버지니아의 렉싱턴에 다다랐고 내게 다시는 없을 귀중한 깨달음을 품에 안겨주었다.

모든 날이 별처럼 빛나길

이세원

이세원

요리, 강아지, 독서를 좋아한다. 앞으로 정말 하고 싶은것이 있다면 봉사 활동을 많이 하고 싶다

기억력

나는 중요한 얘기 말고는 기억을 잘 못한다. 물론 포인트 정도는 알고 있다. 하지만 80% 정도는 기억을 못 한다. 예를 들어 난 편지쓰기를 좋아해 내가 좋아하는 가수에게 자주 보내는 편인데 1~2주 즈음이 지나면 편지 내용의 대부분을 기억하지 못한다.

일본어 공부를 오랜시간 꾸준히 했음에도 불구하고 많이 늘지 않은 이유도 기억력 때문이다. 기억력은 타고 나는 것 같다. 내가 좋아하는 가수 성시경 님이 JLPT를 일년 반만에 취득했다는 것만 봐도…. 반면 나는 외우고 또 외우고 보고 또 봐도 며칠 지나면 기억이 잘 안 난다. 그래서 봤던 책 또 보고 또 보고 했다. 그래도 지금은 JLPT 5급에서 JLPT 3급책을 보고 있다. 나는 동태찌개도 좋아한다. 얼큰한 국물과 고니를 먹고 있으면 너무 행복하다. 뜨끈한 동태살을 국물에 얹어 먹으면 밥 한 공기는 뚝딱이다. 학창시절부터 지금까지 항상 동태찌개를 좋아했는데, 그와 관련된 추억이 하나도 기억나지 않는다. 하나라도 있을 법 한데, 아쉽다.

또 사람 얼굴을 잘 기억하지 못 한다. 진짜 미워했던 사람이나 정말 좋아했던 사람같은 특정 인물의 얼굴은 기억하지만, 한 두 번 본 얼굴은 볼 때마다 '누구였지' 생각하기 바쁘다. 물론 몇 번 더 보면 기억은 한다. 심각하면 정말 미워했던 사람조차 잊는 경우가 있다는데, 난 그 정도는 아니니 참으로 다행이다.

내 삶에 일부 기억이 없는 날들이 있다. 임신 6~9개월 때까지 약 4개월간의 기억이 없다. 17년 전에도 엄마에게 전화해 화를 많이 냈다고 하는데, 내가 뭐 때문에 그랬는지 기억이 하나도 없다. 그래서 가끔 슬프다. 현재의 삶과 과거를 연결 짓고 싶은데 되지 않을 때가 종종 있다.

얼마 전 방송인 박소현 님이 조용한 ADHD 때문에 일상생활에 불편함이 있다고 하는 내용의 TV 프로그램을 보았다. 나도 박소현 님만큼 평소 일상 생활에 큰 어려움은 없지만 나도 비슷한 경험을 종종한다. 예를 들어 우산도 나도 가지고 나가면 항상 잃어버리고 오기가 일상이다. 집에 가지고 오는 경우는 10번 중에 3~4번이다.

그렇다고 내가 기억력이 아주 제로인 것은 아니다. 특히 단기 기억은 잘 하는 편인데 일례로 일주일 공부해 네일아트 이론 시험에 합격한 적이 있다. 오래전 추억도 물론 있다. 내가 5살 때 엄마가 나를 업고 병원에 갔던 일이나 7살 때 아빠를 끌어안고 사진 찍던 날들의 기억은 생생하다. 초등학교 5학년 때 영화관에 처음 데리고 갔던 날, 초등학교 3학년 때였나 처음 멕시칸 치킨 사줬던 날… 어린 시절 추억이 고스란히 남아있다.

이렇게 소중한 순간들의 기억을 남기기 위해, 요즘 메모하는 습관을 지녀야겠다고 생각하는 중이다. 다이어리 수첩에다가 말이다. 물론 난 과거에 집착하지 않고 현실에 충실하고 미래를 더 많이 생각하며 산다. 그래도 가끔 과거를 생각하고 싶을 때가 있다. 좋았던 하루의 날짜 조차 모르고 있으면 참 아쉬울 것 같다.

아이가 나에게 처음으로 카네이션 브로치를 선물했던 날, 아이가 처음으로 나에게 생일 선물을 준 날 정도는 기억하고 싶다. 이 선물들은 아주 소중하게 내 서랍장 안에 잘 넣어 뒀다.

기억력이 좋지 않지만 그래도 아직 내게 남아 있는 소중한 기억들이 있어서 행복하다. 아마도 최고로 나의 소중한 기억은 아이와의 추억이고, 그다음 신랑, 그래고 신해철, 성시경이다. 나에겐 이미 소중한 추억이자 기억이고 앞으로 평생 함께할 사람들이다.

심각한 불면증

나는 초등학교 시절 어느날 밤에 잠이 오지 않았던 경험이 있다. 그렇지만 아빠한테 잠이 안온다고 했더니 1부터 100까지 세우다보면 잠이 온다는 거다. 그래서 1부터 세우다가 나도 모르게 어느새 잠이 든 경험이 있다. 그래서 그 이후로 성인이 되어서 누군가 잠이 안 온다고 하면 1부터 1000까지 숫자를 세어 보라고 한다.

난 20살 때 심각한 불면증을 가지게 되었다. 며칠 잠을 제대로 못 자다가 어느날은 또 낮에 잠이 들어 깨워도 일어나기 힘들었다. 그리고 깊은 잠에 빠지곤 했다.

그렇게 10년을 불면증을 앓으면서 몸의 상태도 엉망이 되기 쉬웠고 어떤 날은 소화가 잘 안돼서 속이 안 좋기도 했다. 쉽게 피곤해지고 낮에 누워 있는 날도 종종 있었다.

이때 정신과에서 약을 처방받아 먹기도 했으나, 이때 내 생각은 약을 먹으면 내가 좀 부족해 보이는 것 같아서 약을 먹다가 안 먹다가 반복했던 것 같다. 나의 콤플렉스였다.

그러다가 결혼 후 난 아이를 위해 17년동안 불면증 약을 꾸준히 먹었다. 그래서 밤을 새워본 경험이 17년 동안 5번도 안 된다. 약을 먹는 게 콤플렉스였지만 30대엔 그나마 최상의 컨디션으로 아이를 돌보기 위한 필요로 의지하는 친구같은 존재였다.

가끔 하루 정도 약을 안 먹기도 해보았다. 그러나 그게 불가능하다는 것을 체험으로 느낀다. 그날은 꼴딱 밤을 새버리는 거다. 그래서인지 불면증을 가지고 있는 분들의 힘겨움을 너무 잘 안다. 그래도 하루에 3~4시간이라도 자는 분은 그래도 다행이라고 생각한다. 근데 얕은 잠을 자는 데다가 24시간 깨어 있는 사람은 얼마나 힘들겠는가.

최근 서울대 병원이 앱으로 불면증 치료를 시작했다고 한다. 앞으로 여러 방향으로 수면 치료하는 방법들이 나올 테니 자신에게 맞는 방법을 찾아내어 숙면하며 생활할 필요가 있다고 생각한다. 자신에게 맞는 수면제가 있다면 약의 도움을 받아도 충분하다.

불면증에 좋은 음식은 양파, 체리, 바나나, 꿀, 호박씨, 귀리, 호두, 달래, 앵두, 상추 등이 있다. 나는 그래서 고기를 구워 먹을 때 꼭 상추쌈을 먹는 걸 권한다. 바나나도 하루에 한 개정도 먹으면 고혈압에도 좋고 불면증에도 좋다고 하니 바나나도 많이 접하길 권해드린다.

불면증에 안 좋은 음식은 커피, 콜라, 매운 음식 이라고 한다. 나도 매운 음식을 싫어하는 건 아니지만 그렇다고 좋아하는 것도 아니기에 굳이 일부러 매운 음식을 찾아서 먹지는 않는다.

그러나 커피는 하루에 2~3잔 마시며 콜라는 아주 가끔 한 병 사다가 마실 때가 있다. 가끔 탄산이 당긴다. 지금은 맛이 없다고 생각했던 탄산수를 너무 좋아한다.

사람들이 수면제 처방 받는 것조차 조금 거리감을 두는 경우가 있다. 그러나 예전에 정신과라는 명칭에서 정신 건강 의학과 라고 명칭이 바뀌었다. 혹시라도 불면증 때문에 너무 힘들거나 일상생활에 지장을 준다면 약의 도움을 받는걸 적극 권해드린다. 다른 사람의 눈의 시선을 신경 쓰지 않았으면 한다. 내 일상이 중요하지 다른 사람의 시선이 중요한 게 아니기 때문이다. 수면제에도 여러 가지 종류가 있기 때문에 자신에게 잘 맞는 수면제를 먹는 게 중요하다.

어떤 수면제는 갑자기 확 잠이 들어버리는 약이 있는데 이 약은 권해 드리지 않는다. 누가 흔들어 깨었을때도 잠에 취해 일어나기가 힘들다는 거다. 일정 시간이 지나야 정신이 든다.

그래서 천천히 잠이 오고, 잠이 들었다가 누가 깨어도 바로 깰 수 있는 수면제를 권해드린다.

전문의 의사와 상담 후 약을 잘 처방받는 것도 중요하다. 잠을 잘 못 주무시는 여러분들이 예쁜 꿈 꾸며 푹 자는 그날들을 응원하는 바이다.

친구가 없어도 좋다.

친구가 없으면 불행하다고 여기는 사람들이 많다. 과연 그럴까? 나는 예전에는 그렇게 생각했었는데 지금은 그 생각이 바뀌었다.

나는 지금 친구가 없다. 물론 학창 시절 친구는 있다. 그런데 지금 연락하고 만나는 친구는 하나도 없다. 사실 나는 가끔 심심할 때도 있고 외롭다 느낄 때도 있지만 그게 친구가 없어서 그렇다고 생각하지 않는다. 내가 일부러 그나마 연락하던 동네 아줌마들 마저 전화번호를 바꾸면서 연락을 다 끊어 버렸다. 만나면 스트레스로 인해 내 삶의 쓸데없는 영향을 주는 게 싫었기 때문이다 그 대신 난 오롯이 편안한 마음으로 집에서 외국어 공부도 하고, 종종 일도 하고, 성시경 님팬 활동도 하면서 행복한 시간을 보내고 있다. 오히려 있을 때보다 없을 때가 더 좋단 생각을 하고 있다. 할 이야기가 있으면 글로 표현하고 싶었고 말로 떠들어 에너지를 낭비하고 스트레스를 받고 싶지가 않았다. 그래서 주위 아줌마들과의 추억이 거의 없다. 어쩌면 그래서 더 가족에 대해 관심을 가지게 되고 내가 좋아하는 성시경님에게 더 집중하는 이유일 수도 있다. 내가 여기서 말하는 친구란 같이 만나서 차 한 잔 마시고 수다 떨고 그리고 같이 밥도 먹고 술도 마시는 친구를 말한다. 나는 지금 내가 내돈으로 밥을 사주고 싶은 친구가 한명도 없으며 또 나에게 밥을 사줄 친구도 없다. 학창 시절 친구는 내가 멀리 이사오는 바람에 안 만난 지 5년 이상이 지났으며 친구라고 하기에도 지금은 어색한 타인일 뿐이다.

나는 오롯이 내 시간을 갖는 시간을 좋아한다. 밤에 가게에서 술을 마시는 분위기를 지금은 그다지 좋아하지 않으며 오히려 낮에 브런치를 먹는걸 좋아한다.

나에게 문제가 있거나 성격이 이상해서 친구가 없는 건 아닌 것 같다. 나의 선택일 뿐이다. 친구를 만들 수도 있겠지만 나이를 먹어감에 따라 사람을 사귀는 기준이 좀 더 까다로워 진 것 같다. 나는 다른 사람이 나에게 뭔가를 부탁하는 것을 좋아하지 않는다. 더군다나 들어주기 힘든 부탁을 하는 사람을 너무 싫어한다. 내가 도와주고 싶어서 도와주는 것과는 조금 다른 결이다. 그리고 돈을 빌렸다는 사람을 곁에 두지 않는다. 불편하다.

나는 일정의 생활비를 타서 쓰고 모든 금전적 관리는 신랑이 알아서 한다. 난 돈에 욕심도 없고 이게 편하다. 10년 전쯤 내가 돈이 있는 줄 알고 고모가 돈을 빌려 달라는 거다. 돈이 없다고 했더니 신랑 돈도네 돈 아니냐며 말하는데 참 기가 찼다. 돈 빌려줘야 하는 게 당연한 듯 얘기하는 고모가 나는 너무너도 불편했고 싫었다. 그 뒤로 전화번호를 바꾸고 나서는 연락을 끊어버렸다. 그 뒤로도 잊을만하면 몇 년에 한 번씩 연락이 왔고 또 얼마 전에도 연락이 왔으나 나는 연락하지 않았으면 좋겠다고 단호하게 말해버렸다. 난 가족이라 해도 나를 불편하게 하면 차단해 버린다.

며칠전 탤런트 고현정님의 유튜브 영상을 보았다. 고현정 님은 아주 아프고 난 후 사람들을 만나지 않고 지내다가 이젠 사람들이 불러주면 약속하고 그 자리에 나간다고 했다.

문득 나를 돌아보았다. 나도 사람들을 만나지 않는다. 집에서 글을 쓰고 공부를 하고 요리를 하고 이렇게 지내고 있다. 난 사실 사람들을 만나는 것보다 이게 너무 행복하고 좋다.

나는 사람들과 소통을 아예 끊고 사는건 아니다. 같이 책을 쓰는 사람들과 모여 소통하며 책도 쓰고, 그리고 함께 모여 노래를 가지는 시간도 가지고, 가수와의 소통, 등등 이렇게 개인적인 사담은 하지 않고 공통된 주제로 만나고는 있다.

친구가 없으니 그만큼 남들과 비교하지도 않고 오롯이 나의 꿈, 나의 생각, 나를 위해 시간을 쓸 수 있어서 좋다. 나는 동네 아줌마들이랑 만나서 수다 떨 시간에 차라리 그시간에 집 청소를 하는 게 낫다고 생각한다. 나는 남에게 피해를 주는 것도 싫고 누가 나에게 해를 주는 것도 싫다. 그렇다고 사람들의 인연이 다 의미가 없다고 생각하진 않는다. 좋은 사람들도 많고 직접적으로 소통하며 마음을 나누는 것도 의미가 있다. 마트에 일하는 언니가 있는데 이 언니는 내가 친해져도 좋단 생각이 들 정도로 괜찮은 것 같다. 남에게 피해를 주지 않고 자기 일을 열심히 하는 사람이다. 그래서 좋다. 그런데 언니가 바쁘니까 내가 자주 연락을 하진 않는다. 살다 보면 이렇게 좋은 사람도 있다.

나는 앞에서도 한번 언급 했듯이 12살 때 새엄마와 살게 되었다. 그런데 연락을 끊은지 2년이 조금 넘었다. 이유는 2년 전에 1시간의 전화 통화에서 돈 얘기만 하고 나를 생각하는 마음은 조금도 없고 본인 생각만 하는 모습에서 난 엄청난 스트레스를 받았다. 일주일 동안 목덜미가 아팠다. 난 이 사람하고는 연락을 끊어야겠다고 생각했다. 난 20살 때 우울증 증세가 찾아왔었다. 아마도 학창 시절 새엄마의 잔소리로 아주 많은 스트레스를 받았고 자존감도 많이 떨어진 상태였다. 그러나 나는 천성이 긍정적인 편이었던지 우울증 증세는 사회생활을 하면서 금세 사라졌다.

지금은 친엄마와 연락이 닿아 연락하고 지낸다. 난 친엄마와는 내 속마음까지 다 털어놓을 수가 있어서 너무 편하고 좋다. 늘 자식을 생각해서 얘기를 해준다. 엄마랑 통화할 때 행복하고 엄마의 따뜻함을 느낄 수 있어서 너무 좋다.

나는 정말 답답하거나 마음이 힘들땐 엄마에게 전화한다. 가끔 엄마가 전화를 안 받을 때가 있어서 답답하지만 그래도 괜찮다.

나에겐 서로 잘 모르는 타인보다 정말 나를 생각해 주는 내가 생각하는 친구가 있다. 내게 너무 소중한 엄마와 아이이다. 그래서인지 비록 지금 만나는 친구가 없다고 해도 나는 든든하다. 그리고 생각보다 그리 많이 외롭지도 않다. 행복하게 지낼만하다.

아니 어쩌면 내가 지금 이렇게 행복한 것도 사람들과 어울리지 않고 오롯이 내 가정 안에서 집중하기 때문이 아닐까 한다. 여러분들도 자신만의 행복의 기준을 찾길 바란다.

내가 잘할 수 있는 일을 찾자

유튜브를 보다가 이런 영상을 보게 되었다. 좋아하는 일은 제일 마지막에 찾고 잘할 수 있는 일을 찾자고…그런데 정말 잘할 수 있는 데까지는 시간이 걸린다는 거였다. 나는 영어 공부를 하고 영어 쪽으로 일을 찾고 이쪽으로 봉사 활동을 해야겠다고 마음먹었다. 올해 내 진로를 방향을 틀어버린 것이다. 상담 심리학을 공부하던 중 심리적으로 나는 너무 힘들어서 이 공부를 중단하게 되었다. 상담 심리학 리포트를 쓰다가 펑펑 울기도 했다. 난 2년의 공백 기간을 가진 후 올해 다시 영어 쪽으로 내 미래의 방향을 틀었다.

24년 유튜브 뱀띠 운세를 보니까 이직하는 경우가 있으나 대운이 온다고 이야기했다. 올해 운이 트인다는 거다. 새해부터 신랑은 일이 없어서 어떻해야 할지 집에 있으면서 고민을 하기 시작했다. 나한테도 영향이 왔다. 잦은 쇼핑이 이젠 꼭 필요하지 않으면 안 한 지 며칠이 되었고 마트 장도 일주일에 2~3번으로 줄었다. 쿠팡에서 식재료를 다량으로 사던 내가 냉장고를 비우기 시작했다. 있는 식재료를 비우고 없으면 마트장을 딱 먹을 것만 시키자고 다짐한 것이다. 내가 그토록 최소주의 생활을 실천하겠다고 외치던 날이 본격적으로 시작하게 된 것이다. 나는 최소주의 생활과 더불어 일을 하자고 마음을 먹고 계속 알바앱에서 일자리를 찾고 있었다. 내일이 면접 날이다. 물론 면접에서 떨어지더라도 이후에 오롯이 영어공부에 매진하고 있을 테다. 또 다른 기회가 온다면 잡기 위해서…만약 면접에서 합격하면 올해는 일을 시작할 것이며 공부에 매진할 것이다. 딱 2년만 참고 열심히 달려보려고 한다. 평소 면접보러 갈 때 화장도 안 하고 갔던 내가 내일은 화장을 하고 갈 생각이다. 아마도 난 내일 면접보는 곳에서 꼭 일을 하고 싶은 모양인지 벌써부터 월급 받으면 얼마를 저축해 돈을 모아 뭘 할지 상상하고 있다. 행복한 상상이다. 소형 아파트를 사게 될지, 아니면 아들이랑 한달 미국 살기를 해볼까 이런저런 상상만으로도 너무 행복하다.

나는 늘 일을 해도 너무 행복했고, 일을 하지 않고 집에서 모든 시간을 나를 위해 쓰는것도 행복했다. 그리고 지금 책을 출간하기 위해 이렇게 내 이야기를 쓰는 시간이 너무너무 행복하다. 얘기를 원점으로 돌아와서 다시 시작하겠다. 좋아하는 일을 맨 마지막에 찾으란 말을 나는 이해했고 잘 할 수 있는 일을 먼저 찾으라고 했다. 그래 나는 학창 시절부터 영어를 좋아했고 영어를 늘 해야겠다고 20대 때부터 책을 사서 공부를 하곤 했다. 30대 때는 육아를 오롯이 나 혼자 도맡아 하느라 나를 위해 시간을 투자 하며 못살았는데 아쉬움이 많이 남는다. 짬짬이 공부도 할걸 그런 생각이 드는 것이다. 그래도 40대 때는 나를 위해 시간을 쓰기 시작했다. 올해부터는 정말 나를 위해 시간을 오롯이 쓸 예정이며 내가 잘 할 수 있는 일이 정점에 오르기 위해서는 시간이 걸린다는 것도 인지했다. 그래 내가 부족하긴 하지만 나는 1년이 지날수록 나의 실력은 잘하는 사람으로 변해 있을 것이며 나도 내가 원하는 것을 이루는 사람이 될 거라고 다짐한다. 그리고 나는 내가 하는 영어가 제일 좋아하는 일이 될 것이다. 나의 또 다른 목표는 아이의 꿈을 이루도록 금전적으로나 심리적으로 지지할 것이다. 그리고 나는 내가 하고자 하는 일을 다 해볼 것이다.

조금 내가 하던 요지를 다시 정리하자면 잘할 수 있는 일, 돈이 되는 일, 사회에 도움이 되는일을 먼저 찾고 제일 마지막에 좋아하는 일을 찾는 것이라고 어떤 유튜버는 이야기했다.

내가 내일 하고자 하는 일은 돈이 되는 일, 사회에 도움이 되는 일이다. 그리고 잘할 수 있는 일이 되기까지는 조금 시간이 걸릴 것 같지만 잘 할 수 있을 것 같다. 그리고 좋아하는 일이다. 진짜 이보다 더 좋은 일이 있을까? 난 왜 그동안 하려고 노력하지 않았고 잡으려고 하지 않았는지 아쉬움이 남는다. 지금부터라도 하고자 하는 일의 여정을 떠나려고 한다.

내가 좋아하는 것과 싫어하는 것

나는 바다를 보는 것을 좋아한다. 아마도 고등학교 2학년 때 수학

여행을 제주도로 가서 제주도에 반한 것도 그 맑고 깨끗한 바다에 반해서이다. 바다 색깔이 어쩜 그렇게도 청명하고 예쁘든지 그리고 두 번째로 좋아하는 바다는 부산 바다와 강릉 경포대 바다 순으로 좋아한다.

내가 살고 있는 서해는 물이 그렇게 깨끗하지 않고 청명한 바다 색깔을 볼 수가 없었다. 많이 오염되기도 하였고… 난 울산에 바닷가가 있는 일산지 라는 동네에서 태어났고 거제도에서 자랐다. 그리고 지금은 바다가 있는 곳에서 살고 있다. 이상하게도 바다는 내가 태어날 때부터 인연이 있는지 내 삶에 항상 옆에 있는 것 같다. 나는 어릴적부터 하늘을 날아다니는 꿈을 자주 꾸곤 했다. 날아다닐 때의 그 기분은 너무 좋다. 그리고 요즘은 예지몽인지 꿈을 자주 꾼다. 그리고 꿈꿀 때마다 다음 포털에서 꿈해석을 검색해 보곤 하는데, 오늘 꿈자리가 너무 좋다. 난 꿈의 예지를 조금 믿고 있으며 좋은 꿈이면 기분이 참 좋고 왠지 내가 하는 것들이 잘 풀리고 잘될 것 같은 기대에 부풀어 오른다. 오늘 꾼 꿈도 물속에서 헤엄쳐 나오는 꿈을 꿨다. 근데 내 휴대전화가 물에 잠긴거다. 이건 아마도 핸드폰을 멀리하고 내가 가야 할길을 가면 좋은 일이 생긴다는 예지인 듯하다. 요즘 폰을 너무 들여다보는 것 같아서 고민했었는데 이젠 폰을 조금 멀리 해야 겠다. 내가 좋아하는 것은 또 햇살이다. 비나 눈은 좋아하지 않지만, 맑은 햇살을 보고 있으면 기분이 너무 좋아진다. 그리고 난 봄과 가을을 좋아한다. 여름과 겨울은 거의 밖에 나가지 않고 에어컨과 보일러를 의존해 주로 집에 있는다.

나는 빨간 장미꽃을 좋아하며 좋아하는 색깔은 연두색과 민트색이다. 하늘색, 분홍색도 좋아한다. 그러나 나는 모든 색깔을 다양하게 옆에 두는 걸 좋아하는데 올해 내 행운의 색깔은 연보라, 짙은 보라, 보라색이라고 한다. 보라색도 참 좋아하지… 어쩌면 나는 이 세상에 존재하는 모든 색깔을 참 좋아하는 것 같다. 그래서 어릴 때부터 크레파스를 좋아했고 색연필을 좋아했다. 7살 때 색칠공부 책을 사주면 그렇게 행복했던 기억이 남아있다. 지금도 색연필, 싸이펜, 칠판펜등 여러가지 펜들이 집에 있으며 난 종종 종이에다가 다양한 색깔로 글을 쓰는걸 좋아한다. 나는 초등학교 때는 치마 입는 걸 좋아했는데 결혼 후엔 오로지 바지만 입는 편이다. 지금은 치마가 없다. 종종 편한 긴원피스를 사기도 하는데 세탁하면 잘 구겨지는 옷감이라 종종 그냥 수거함에 버리기도 한다. 한마디로 잘못 산 거다. 싼 게 비지떡이라고 할인 많이 한다고 좋아서 샀는데 말이다. 사서 입고 세탁하다보면 구김이 너무 많아 세탁소에 맞기거나 다림질을 해야 한다. 나는 다림질은 집에서 하지 않으니 그냥 세탁소에 맞기느니 안 입고 만다.

스팀 다림 기를 산적은 있는데 한 번도 사용하지 않고 분리 수거함에 가져다 버린 적이 있다. 그 뒤론 두 번 다시 다림기는 안 사며 아예 애초부터 다림질이 필요 없는 옷만 산다. 지금은 누구에게 예뻐 보이려고 옷을 사는 게 아니라 여름엔 시원하고 겨울엔 따뜻한 제일 편한 옷을 고른다. 그러나 내가 옷을 고를 때 고려하는 것은 옷 색깔이다. 내가 아주 좋아하는 색이 아니라도 나는 다양한 색깔의 옷을 고르는 편이며 그 색깔들을 옷을 입을 때마다 즐긴다.

내가 좋아하는 사람의 종류는 솔직하고 꾸밈이 없는걸 좋아한다. 가식적인 사람을 싫어한다. 얼굴 또한 성형하고 고치는걸 싫어하며 그리고 문신 하는걸 진짜 싫어한다. 그리고 나는 흑백사진을 싫어한다. 흑백사진이 꼭 존재하지 않는 사람의 사진 같아서 싫다. 난 색감이 있는 컬러 사진을 좋아하며 그리고 꾸밈이 없는 사진을 좋아한다. 화장 진하게 하고 화려한 걸 싫어하며 난 단아하고 수수한걸 좋아한다. 그래서인지 나의 본보기가 탤런트 고현정 님이 된 것 같다. 왠지 고현정 님에게 풍기는 느낌이 너무 평온하고 지성이 있어 보이고 예쁘고 고상해 보여 좋다. 그리고 꾸밈이 없고 솔직해서 좋다. 나도 이런 느낌의 여자가 되고 싶단 생각을 하곤 한다. 나는 시끄럽고 소란스러운 사람을 싫어하며 조용하고 차분한 사람을 좋아한다. 연예인이든 일반인이든 그 누구도 마찬가지다. 여자든 남자든 똑같다. 나는 오지랖 넓은 사람을 싫어하며 설치는 사람을 싫어한다. 조금은 절제를 할줄 알고 심리 통제를 잘하는 사람을 너무 좋아한다. 그리고 도가 지나친 사람을 아주 싫어한다. 남의 눈을 의식하며 살필요까진 없다고 생각하지만 남에게 스트레스를 주면서까지 남을 의식하지 않고 본인 할말 다하는 오지랖 넓은 사람도 없어져야 한다고 생각한다.

나는 어쩌면 보수적인 사람이다. 진짜 하지 말아야 할 도덕에 어긋나는 행동은 하지 않으며 규칙과 원칙을 존중하는 사람이다. 남에게 피해를 주는 것을 싫어하며 나를 해롭게 하는 사람도 용서하지 않는 사람이다. 용서와 자비는 신들이 베푸는 거로 생각한다. 물론 좋은 사람들에게는 베풀 수 있는 거로 생각한다. 그것과는 다른 결이다.

23년 12월 30일 성시경 콘서트

23년 12월 30일, 아침부터 눈이 펑펑 오기 시작했다. 그렇지만 나는 날씨에 개의치 않고 공연을 보러 가겠다고 결정했다. 서울에 도착하자 눈은 많이 쌓여있었고 역시 눈은 펑펑 오고 있었다. 난 우산을 쓰고 터미널 인근에서 콩나물국밥을 먹고 공연장으로 출발했다. 공연장은 올림픽 체조 경기장에서 하는데 터미널 역에서 공연장까지는 40분 정도의 거리였다.

난 공연 시간보다 4시간 빨리 2시경에 공연장 있는 역에 도착했다. 공연장으로 가기전 입구쪽 커피숍에서 커피를 시켜 나름 힐링하면서 핸드폰으로 이것저것 보고 있었다. 시간은 생각보다 빨리 갔고 3시 30분경 커피숍을 나와 공연장 팬 대기실에 도착했다. 난로가 있었고 생각보다 하나도 춥지 않았다. 나는 시경 님 팬분에게 오후 4시에 표를 양도받기로 해서 기다리고 있었다. 4시경 팬분한테 전화가 와서 대기실 앞에서 표를 양도받고 시경 님 모습들이 담긴 24년도 달력과 양말, 빵, 그리고 사탕과 초콜릿을 선물 받았다. 나는 미리 챙겨둔 비타500과 초콜릿 그리고 단백질 셰이크 음료를 포장해서 드렸다. 나도 감사의 표시였다.

그리고 나는 응원용 봉을 사서 오후 4시 반에 공연장으로 들어갔다. 공연장 안은 따뜻했다. 이상하게도 내 두 볼은 들어서서 얼마 지나지 않아 열이 났다. 추운 데 있다가 따뜻한데 들어와서 그런가 평소 내게서 일어나지 않는 일이었다. 난 자리를 쉽게 찾아 앉아서 짐 정리를 시작했다. 생각보다 짐이 많았다. 내 핸드백 가방과 그리고 연보라색 여행 가방이 있어서 가방을 발 아래쪽에 두고 패딩점퍼도 벗어서 의자 뒤쪽에 두었다.

무대 아래 전체를 가리고 있는 원형 스크린에는 시경 님 여기어때 광고가 나오기도 했다. 나는 핸드폰으로 무대 사진을 찍었다. 공연 중엔 촬영금지라 나는 핸드폰을 무음으로 하고 가방에 넣고 꺼낼 생각도 안할거지만, 무대 모습은 추억으로 남겨두고 싶었다.

시간은 흘러 드디어 공연 시간 6시가 되었다. 그러나 눈이 많이 내린 데다 입장이 지연되어 6시 15분이 되어 공연이 시작되었다.

원형 스크린은 천장쪽으로 올라갔고 팝콘이란 노래 반주가 흘러나오자, 시경 님은 팬 자리 뒤쪽 입구에서 나오시며 노래를 시작하셨다. 원형 스크린은 우주선 은하계가 떠오르는 듯한 모양을 하고 있었다. 신비스러운 느낌이 가득했다. 그리고 팝콘이란 노래는 나 혼자만의 추억이 담긴 노래다. 39평 아파트에서 살 때 혼자 안주를 만들어 술 한잔 기울이며 듣던 음악이었다. 혼자 오롯이 힐링하던 노래였다. 내가 좋아하게 된 노래다. 팝콘이란 노래가 흘러나오자 추억이 떠오르고 내가 좋아하는 노래가 첫곡이라 그냥 감동적이었다. 난 뒷자리 쪽을 쳐다보았다. 시경 님이 내 자리 쪽으로 내려오시며 노래를 하셔서 조금 놀래면서도 기분이 너무 좋았고 심장은 또 쿵쿵 뛰고 얼굴은 더 열이 펄펄 났다. 미쳐 나는 핸드폰을 꺼내지도 않은 상황이어서 뒤늦게 가방을 뒤져 겨우 내 옆으로 지나가는 찰나 뒷모습만 한 장 찍었다.

나는 버스 시간 때문에 공연을 다 못 보고 갈 예정이었다. 비록 얼굴도 나오지 않은 뒷모습 사진이지만 나에겐 너무나도 소중한 사진이었다. 갑자기 머릿속이 하얘졌다. 얼굴에선 왜 이렇게 열이 나던지 난 볼을 한 번씩 손으로 만져보았다. 노래는 계속 이어졌고 who do you love 노래를 또 불러 주시는데 팬들과 함께 율동하며 소통하는 모습이 역시 프로시구나! 잘한다는 생각이 들었다. 참 어려우실 텐데 팬들에게 잘 가르쳐주고 팬들은 또 어쩜 그리 가르쳐준 대로 노래도 잘하고 율동도 잘하는지 놀라웠다. 꼭 미리 연습해 온것처럼…

이어서 김종서 님의 무대가 끝나고 시경 님의 노래를 부르고 계실 때 나는 생각보다 조금 일찍 공연장에서 나왔다. 공연장 들어가는 입구문을 열고 나오자, 시경님의 노랫소리는 계속 들렸다. 그러다 부를 타이밍에 한박자 쉬는 것까지 다 들렸다. 난 화장실을 들렀다가 눈길을 걸어 터미널 역으로 향했다. 오는 내내 공연을 다 못 보고 나온 미안함과 아쉬움이 너무 컸다. 공연을 보고 오는 날이면 난 정말 서울에서 살고 싶다는 생각이 너무 많이 든다. 그런데 난 지금 사는 지방이 살기에는 더 좋은 것 같다. 조용하고 내가 필요한 것이 집주위에 다 있으므로 편하다. 목욕탕, 은행, 마트, 우체국등이 주위에 다 있으니까….

21년 6월 초부터 팬 활동을 시작하게 되었는데, 그와 나와의 인연은 조금 어려움도 있었지만 지금은 평생 팬 활동하면서 응원하고 지지해야겠다고 생각하고 있다. 그의 음악은 내 삶의 안식처가 되어주고 그의 부지런함은 내 삶에 자극이 되어 준다.

공연 며칠 전날 갈지 말지 고민을 많이 했는데 시경 님 공연은 안 보면 후회될 뻔한 공연만 하신다. 공연을 보고 오면 가길 정말 잘했단 생각이 들고 진짜 날씨가 어떻든 공연은 꼭 가야겠단 생각을 하게 만든다. 내가 좋아하는 곡들로 꽉꽉 채워져서 너무 행복했다.

시경 님은 정말 이미 정말 나에겐 언제나 탑이다. 너무 멋진 분.

미니멀 라이프

나는 19년도 1월부터 24년 1월 지금까지 5년 동안 내가 가지고 있는 가구와 물건들을 정리했다. 34평 아파트에는 정말 옷, 가전제품, 가구, 생활용품, 책 등등 너무나도 넘쳐나는 물건들 때문에 정신이 없었다. 뭐가 없어져도 잘 모를 정도였고 누가 준 물건이 안 보이면 기억력에 취약한 나는 안 받았다고 생각하기도 했다. 예전 살던 아파트는 일요일만 분리수거한다. 그래서 나는 일요일이 오길 기다렸다가 조금씩 필요 없거나 안 쓰는 물건들을 내다 놓기 시작했다. 꾸준히 2년 6개월 정도 정리를 했다. 컴퓨터 책상 2개, 중고 장롱, 커피추출기, 큰책장 2개, 피아노, 모두 모두 다른 사람 주거나 버리고 우린 21년 7월 이사를 하게 된다.

태어나서 처음으로 39평 아파트에 살게 되었고 넓은집을 전월세로 생활했다. 오래 있을 집은 아니었기에 우린 그냥 있는 동안은 넓은 아파트에 사는걸 즐겼다. 그러다 딱 10개월 살다가 집주인이 자기네가 이사 와서 살고 싶다고 해서 우린 가까운 곳에 20평짜리 아파트를 사게 되었다. 나는 넓은집이 사실 많이 부담되던 터에 평수는 작았지만 내 이름으로 된 소형 아파트를 사게 되어 기분이 좋았다. 단지 여름에 천정에서 비가 조금씩 센다. 싼 게 비지떡이라고 저렴하게 아파트를 사게 되어 좋다고 생각했는데 이점이 조금 아쉬웠다. 내 후년에 이 집을 팔고 이사를 가야 하나 그런 생각도 들지만 난 솔직히 넓은 집이 필요가 없다. 나는 책읽고 노트북으로 글을 쓸 수 있는 책상 하나만 있으면 되고 몸을 뉘일수 있는 잠자리와 책을 꽂을수 있는 책장, 그리고 요리할 수 있는 공간만 있으면 된다. 특별한 요리를 즐길 수 있는 오븐과 에어프라이어기도 있고 또 최신형 전자레인지도 있다. 남 부러워질 게 나는 정말 하나도 없다. 있는 옷도 정말 딱 입을 옷만 여러 벌놔두고 안 입는 옷은 전부 옷 수거함에 넣어 버렸다. 옷이 몇벌 없으니 옷찾기도 너무 쉽고 사실상 내가 생활하는데 옷이 많이 필요 없었다는것도 몸소 깨닫게 되었다. 나는 물건을 정말 대대적으로 확 줄이고 정리하면서 24년 1월이 되면서 마인드와 현재 생활도 확 바꾸었다. 휴대전화기 요금도 최저 요금으로 바꾸었고 컬러링 부가서비스도 모두 해지했다. 4월이 되면 알뜰 요금제로 바꿀 예정이다. 그리고 배달 음식을 하루가 멀다고 시켜 먹던 내가 24년이 되면서 배달 음식을 뚝 끊어버렸다. 외식도 특별한 날 말고는 집밥을 해먹는다. 갑진년이 되면서 물건만 정리하는게 아니라 돈 씀씀이도 최소주의 생활을 실천하려고 바꾸고 변경하고 수정하며 돈을 조금씩 모으는 중이다.

신용카드 3장에서 작년 말에 2장을 없애고 24년 1월 들어와서 나머지 1장도 카드를 없애 버렸다. 아직 1장은 할부가 남아있다. 이것은 차차 갚을 예정이고 이제부터 체크카드로 생활 할 생각이다. 식비도 일주일 15만 원으로 정했고 15만 원 안에 외식비도 포함되어 있다.

제일 중요한 것은 쇼핑을 꼭 필요한 물건이 아니면 안한다는 것이다. 예전에는 갖고 싶은 게 있으면 쇼핑했는데 지금은 없으면 안 될 물건이 있을 때만 한다. 그러니 갑진년이 되고부터는 쇼핑 구입한 목록이 조용하다. 예전엔 돈을 쓸 때 생각없이 쓴 것 같다. 그런데 지금은 계산기를 두들겨 계산을 먼저 한다. 얼마가 고정 지출이고 나머지 안 쓰면 얼마가 모이는지 이 돈은 어떻게 쓸 예정이며 어떻게 모을 건지 계획을 했다. 내가 그동안 돈이 안 모인 이유가 돈을 너무 생각 없이 막 써서였다. 참 돈 쓸줄 몰랐네 생각이 들어 조금 아쉬움이 남는다. 올해 부터라도 정말 꼭 필요한 곳에만 돈을 쓸 예정이며 남들이 보면 나도 짠순이란 소릴 듣게 되겠구나라고 생각이 들지만 뭐 괜찮다. 마음만은 부자가 되어 너무 행복하고 평온한 삶을 살게 될테니까 말이다. 최소주의 생활을 하도록 늘 멘토가 되어주시는 분이 있다. 바로 뿌미맘 가계부 저자 뿌미맘님이다. 유튜브와 인스타그램에서 소통을 하고 있고 그리고 뿌미맘 가계부를 구입해 올해도 열심히 기록중이다. 여기서 늘 감사하단 말을 전한다.

가을꽃

은초희

은초희

'가을꽃'은 저의 첫 소설입니다. 여기까지 이끌어준 주인공 반야에게 고마움을 전합니다. 제 글로만 표현될 수 있는 것들이 더 나타나 준다면 무척 기쁠 것 같습니다. 책, 글, 빵, 물, 봄, 비, 돌, 눈, 꽃... 저는 한 음절짜리 단어들을 좋아하나 봅니다. 지금도 엄마 따라 글을 쓰겠다며 자판을 두드리고 있는 딸 아현, 수학 숙제 하기 싫다고 일찍 잠이 들어버린 아들 지한, 좋은 아빠, 좋은 남편 재영... 세 사람과 다음 생에도 가족으로 만나고 싶습니다.

사람은 대개 있어야 할 곳에 있다. 그곳이 산이든 바다든 거기까지 흘러간 그의 인생 최선의 최선이었을 것이다. 반야에겐 초희사(初希寺)가 그랬고, 집이 그랬다. 지금 오르는 이 산길은 또 어떤 최선으로 나를 이끌어주려나. 후후, 숨을 내뱉으며 지난 세월을 발걸음에 담는 반야다.

깊은 절일수록 가을은 수수하다. 여름을 닮으려니 숲 하나가 모자라고 겨울을 닮으려니 그늘 하나가 모자란다. 팔월의 달빛으로 연지를 얹어주면 가는 수국을 붙잡을 수 있을 것을. 십이월의 햇빛으로 눈썹을 그려주면 오는 안개를 밝힐 수 있을 것을. 제자리에 다소곳하기만 한 가을을 아까워하며 반야는 산사에서 스물다섯 해를 보냈다. 기억에도 없는 어린 시절부터, 봄을 쓸고 여름을 닦고 가을 건너 겨울에 눕던 반야. 친구라고는 나무와 산새뿐인 절이지만 그녀에겐 틈 없는 완벽한 우주였다. 반야를 키워주신 스님과 그 스님을 키워낸 부처님이 계셨기 때문이다. "손이 얼어 마당 쓸기가 힘들어요." 하면 스님은 슬그머니 반야의 손에 있던 마당비를 당신 손에 옮겨가셨다. 몸이 아파 끙끙 앓는 날엔, 부처님은 반야에게 넓은 하늘을 덮어주셨다.

대학을 졸업하고 절을 떠난 지 꼭 열 해째다. 정확히는 결혼과 함께 절을 떠났다. 가정을 꾸린 후에도 반야는 11월 하루 스님을 뵈러 초희사에 온다. 도시의 계절은 알아서들 자리를 잡지만, 초희사의 가을은 그녀가 챙겨야 할 것 같은 일종의 사명감 때문이랄까.

"스님, 저 왔어요."

"어서 들어와. 춥지?"

상 위에 쑥떡과 국화차가 가지런하다. 반야가 오는 이 하루를 위해 스님은 부처님 오신 날 손님 모시듯 종일 분주했다. 내 불전, 내 염주, 내 관세음, 반야. 어린 반야는 사월의 봄을 가장 좋아했었다. 한가운데 초파일이 있기 때문이다. 초파일이 오기 두어 달 전부터 스님은 등불을 엮어 불자들의 이름과 함께 지극한 염원을 새겨 넣었다. 반야는 그 옆에서 먹을 갈았다. 산 초입부터 일주문까지 알록달록 연꽃 등불을 달아놓으면 부처님이 말씀하시는 극락 가는 길이 흡사 이런 풍경의 길이지 않을까 하는 생각이 들었다. 일주문 앞의 밤의 계곡은 그야말로 극락이었다. 하늘 위 반짝이는 등불과 물 아래 반짝이는 등불이 만나 서로를 밝혀주는 모습에 일찍이 넋을 놓고 빠져들곤 어린 날의 반야였다. 초파일 당일이면 밀려드는 인파 속에 화전을 부치는 일도 반야의 몫이었다. 생긋한 분홍 꽃잎이 반죽과 만나 기름을 먹고 나면, 짙은 보라색으로 변해가는 조화가 여간 마음을 들썩이게 하는 게 아니었다. 소반에 빙 둘러 진달래 화전을 담아 놓으면 지난봄, 지지난 봄까지 그 안에 다 피어 있는 것 같았다. 등불들이 강강술래를 하는 모습인 듯도 싶었다.

법당의 처마, 댓돌 위의 신발, 부처님 손, 목어 비늘. 어린 반야는 눈에 보이고 손에 잡히는 건 몽땅 그림으로 그려 넣었다. 불타는 빨강을 부드러운 다홍으로, 성난 파도 색을 나잔한 실구름 색으로 바꾸어 자기만의 귀여운 탱화를 그리기도 했다. 스님은 시장 가는 젊은 불자에게 물감과 스케치북을 청하는 날이 늘어났고, 소문은 어찌나 빠르던지 반야 앞으로 근처의 미술용품과 도화지가 쌓여갔다. 그걸 봄 내에 다 써버린 반야다. 어느 날은 반야가 노을 지는 저녁을 배경으로 커다란 부처님 앞에 절을 하는 여인을 그려놓았다. 스님이 반야에게 이 여인이 누구냐 물으셨다. 손가락으로 가리킨 자그마한 두 글자, 엄마. 감색 투피스를 입은 여인이 두 손을 모으고 하염없는 얼굴로 부처님을 바라보고 있었다. 스님은 아무 말도 하지 않았다. 반야도 아무 말을 하지 않았다. 긴 정적 끝에 반야는 다시 없을 한마디를 꺼냈다.

"스님, 나도 엄마가 있으면 노을색 치마 하나 지어드리고 싶어요."

쑥떡에서 피어나는 연기 사이로 어린 반야들이 사라지고 나타난다. 함께한 스물다섯 해의 세월이 국화차 한 모금에 단숨에 건너온다. 지금 상을 마주하고 앉은 반야는 새로 빚어낸 반야 같다. 음전한 몸가짐, 풍기는 향기, 자연스레 풀어놓는 딸 얘기, 남편 얘기. 이제 여염집 아내로 물들어가는구나 싶어 마음이 벅차오르면서도 한 편으로 서글픈 스님이다.

꼭 10년 전, 반야의 결혼식 날 속세의 어머니 자리를 탐할 수 없어 끝내 자리를 비워둔 스님이다. 당일에는 의외로 통곡이 오가거나 마음이 시끄럽지 않았다. 문제는 반야가 없는 반야의 방에 들어선 그 밤이었다. 계곡에 미꾸라지를 잡으러 간다고 장대를 어깨에 둘러메던 반야가 아직 이 방에 걷고 있다. 청설모를 놀래키겠다며 밤나무에 겁도 없이 오르던 반야가 아직 이 방에 뛰고 있다. 자그마한 눈사람을 만들어 소맷돌 위에 얌전히 얹어 놓던 반야가 아직 이 방에 쉬고 있다. 부모를 업고 무릎이 으깨질 때까지 수미산 삼천 번을 돌아도 다 갚을 수 없는 게 부모의 은혜라던데. 나는 반야에게 무엇을 해주었나. 이 작은 방의 칠흑 말고 무엇을 주었나. 반야가 없는 채로 반야와 만난 대단히 슬픈 밤이었다.

"저 이제 갈게요, 스님."

"오자마자 간다고 그래. 천천히 가지."

"스님 얼굴 봤으면 됐어요. 가서 저녁밥 해야 해요."

"내년에 지혜랑 김 서방도 같이 와. 그간에 전화를 하든 편지를 쓰든 소식 전하고."

"알겠어요. 저 세돌탑만 들렀다 내려갈게요."

대웅전 뒤편의 삼층탑을 사람들은 세돌탑이라 부른다. 왼쪽으로 세 번, 오른쪽으로 세 번 돌면 소원이 이루어진다 하여 붙여진 이름이다. 화려하지 않지만 군데군데 곡선이 살아있어 부드러운 인상을 준다. 어릴 적 반야는 주말마다 탑을 돌러 이 깊은 산속의 절까지 오는 사람들을 이해할 수 없었다. 저 돌덩이가 뭐기에. 그런 반야가 절을 떠나고부터는 마음속에 늘 이 세돌탑을 세워둔다. 기울어지지 않게 무너지지 않게. 부재가 증명하는 존재의 무게가 이토록 엄중한 것이었나.

일 년만의 탑돌이를 시작한다. 왼쪽으로 한 바퀴. 금쪽같은 우리 딸 건강하게 오래 살게 해주세요. 왼쪽으로 두 바퀴. 경기가 안 좋다던데, 애기 아빠에게 좋은 기운을 북돋아 주세요. 왼쪽으로 세 바퀴. 늘 제 마음의 평온함을 보전해 주세요. 오른쪽으로 한 바퀴. 스님 건강이 부쩍 안 좋아지셔서 걱정이에요. 오른쪽으로 두 바퀴. 저를 낳아주신 부모님이 어디서든 무탈하시기를 빌어요. 오른쪽으로 세 바퀴. 침묵에 가리워진 부처님의 고단함을 늘 염려하여요.

마지막 여섯 바퀴째를 돌고 세돌탑의 모서리를 돌아 나오는 순간. 의젓한 먹색 눈동자가 반야의 눈에 정면으로 걸리었다. 어디서 본 사람인데, 누구지. 뒷배경으로 흐르는 봉우리와 그 위의 넓은 하늘이 순간 아득하더니 '안'이라는 이름이 반야의 온몸을 스치고 지나간다. 순간이 지나고 다시 하늘이 선명해질 즈음 눈동자 쪽이 먼저 인사를 건넨다. 얼결에 두 사람은 고개를 숙여 인사를 나눈다.

"혹시… 반야 아니니?"

"어, 안 선배…?"

'내 정신 좀 봐, 반야 준다고 곶감 말려놨는데. 세돌탑 들렀다 간다고 했지.' 스님은 서둘러 곶감을 챙겨 세돌탑으로 향한다. 반야야, 부르려는 찰나, 가을 고목 같은 한 남자와 그 옆에 가을꽃으로 서있는 반야가 보인다. 멈칫한 스님은 더는 움직이지 않고 멀리서 지켜본다.

우주의 깊은 품에 안겨 있는 화사로운 가을날이었다.

"몸을 동그랗게 오므렸다, 척추를 하나하나 쌓는 느낌으로 천천히 올라와 주세요."

오늘도 필라테스 강사는 목소리에 에너지 가득이다. 딸아이를 등원시키고 매일 아침 필라테스 센터로 향하는 반야는 하루 중 이 시간을 가장 좋아한다. 스트레칭으로 근육 곳곳에 봄기운을 불어넣고, 호흡을 가다듬으며 여름 대숲 바람을 머금는다. 기구에 올라 늦가을 같은 잠깐의 통증을 견뎌내면, 알싸한 겨울 공기가 온몸을 빠르게 정화시킨다. 운동을 시작한 이후로 웬만한 '통'들은 몸에 붙을 틈을 내어준 적이 없다.

그런데 오늘은 해도 해도 몸이 뻣뻣하다. 지난 초희사 방문 이후 부쩍 컨디션이 안 좋아졌다. 몸컨디션이 반토막이니 매일 하던 운동이래도 효과가 따라와 주지를 못하고 있었다. 효과야 둘째 치고 기분이 개운치가 않았다. 어제는 하나마나한 잡념으로 새벽까지 잠을 못 이루고 뒤척였다. 형체가 있는 잡념이면 손을 써보겠지만, 뚜렷하게 구분 지을 수 없는, 구분 지어봐야 알뜰한 해결책도 없을 것 같은, 사실은 감정인지 생각인지도 잘 모르겠는 그런 잡념이었다. 몸과 마음이 탁해지는데 이유가 없었다. 그저 12월 들어 손발이 으슬거리는 게 겨울은 겨울인가 보다, 하고 넘길 뿐이었다.

'집에 가서 뜨거운 차 좀 끓여 마시자. 유자청 담가서 생강 반쪽이랑 섞어 마시면 딱 좋을 날씨야. 아, 오늘 저녁에 지혜 아빠 김치찌개 끓여주기로 했는데.'

이참에 푹 쉬자 마음먹고 서둘러 장을 봐 집으로 온 반야는 습관처럼 라디오를 켠다. 어릴 적 초희사에서는 들을 게 침묵밖에 없었다. 침묵만큼 듣기 좋은 것도 없지만, 가장 듣기 좋은 게 무어냐고 묻는다면 침묵이라고 말할 수는 없을 것 같다. 결혼하고 도시에 살면서 가장 신났던 것 중 하나가 음악과 함께 잠이 들고 음악과 함께 잠에서 깰 수 있다는 점이었다. 세상의 모든 음악을 다 수집해 볼 수는 없는 걸까 곰곰이 생각했던 적도 있다.

헌데 오늘은 낮고 고요한 소리가 듣고 싶다. 말하자면 침묵에 가까운. 틀어 놓은 라디오를 끄니 집안이 조용하니 절간 같다.

'우리 집에도 이런 풍경이 있었지. 늘 공간이 꽉 채워진 느낌이 드는 게 음악 때문이었을 수도 있겠구나. 소리가 없으니 사물도 눈에 더 잘 들어오는걸.'

별안간 거실의 물건 하나하나에 눈길을 주는 반야다. 소파, 책장, 피아노를 거쳐 창밖에 시선이 머무는 순간 하얀 무언가가 창문에 내려앉았다. 눈이 내리고 있었다.

'그 작품이 뭐였더라. 눈 쌓인 골목 가운데 검은 옷차림의 여자가 혼자 걷는… 맞다, 눈 내리는 루브시엔느. 알프레드 시슬레의 작품이었지. 모네, 르누아르와 같은 화실의 같은 스승 밑에 있었지만 시슬레는 고독한 느낌을 주는 겨울을 주로 그렸다고 했어. 똑같이 빛에 초점을 두고도… 왜 하필 시슬레는 적적한 겨울을 그리려 했을까. 그것도 파란빛과 회색빛이 섞인… 그런데, 내가 이 작품을 언제 처음 봤더라? 대학 때 교양 수업이었나. 세계의 미술관 프로젝트에서 오르세 미술관을 우리 조가 맡았던 것 같은데… 그때 조장이 아마 안 선배였지…'

걸치고 있던 가디건이 어깨 반쯤으로 흘러내리고 있다. 반야는 서둘러 부엌으로 자리를 옮겨, 유자청 담글 재료들을 하나하나 꺼낸다. 노오란 유자를 씻어내는데 누군가의 눈빛이 같이 흐른다. 씻은 유자를 조각내는데 누군가의 목소리가 탁탁 보조를 맞춘다. 조각난 유자로 채를 써는데 누군가의 향기가 배어 나온다. 설탕에 유자를 버무리는데 누군가의 미소가 섞여 들어간다. 깨끗한 유리병을 찾으려는데 누군가의 얼굴이 환하게 투명해진다. 유리병 안에 유자청을 담으려는 찰나, 불현듯 자신의 마음 안에도 누군가를 조심히 담아 오래 간직해왔음을 깨닫는 반야다.

안과 반야는 대학 시절 '미학개론'이라는 교양 강좌를 들으며 처음 만났다. 철학과인 반야는 늘 책과의 싸움이었다. 일주일에 두 시간만 철학서에서 벗어나자,라는 생각으로 택한 게 미학 교양 수업이었다. 경영학과였던 안은 늘 계산과의 싸움이었다. 이대로는 머릿속이 컴퓨터가 되겠군, 해서 택한 게 이 수업이었다. 프로젝트 수업을 위해 너덧 명씩 조를 짰고, 건너 자리에 앉은 반야와 안은 같은 그룹이 되었다. 몇 번의 답사, 몇 번의 프레젠테이션을 통해 둘은 소위 말하는 좋은 선배, 좋은 후배의 틀을 갖추어 갔다.

1학기 중간고사 즈음이었을까. 반야는 도서관에서 쇼펜하우어의 '의지와 표상으로서의 세계'를 읽고 있었다. '읽었다'는 말은 적합하지 않다. 표지 구경, 목차 구경, 드문드문 보이는 이해할 수 있는 문장 건져내기 정도만 겨우 해내고 있을 뿐이었다. 레포트 때문에 책을 펼치고는 있었지만 뜻이 잡히지가 않았다. 반야가 책을 읽는 건지 책이 반야를 읽는 건지 모호해질 무렵, 누군가 톡톡 책상을 두드린다. 안이다.

"이거 네 거지?"

반야의 포켓용 수첩이 안의 손에 들려 있다. 수첩의 짙은 갈색 가죽 표지에는 '초희사'라는 단어가 음각으로 새겨져 있다.

"네…맞아요. 이게 어디에 있었지…"

"지난번 수업 때 강의실에 두고 갔던데?"

"아, 그랬었나? 고마워요, 선배."

수첩을 받아 든 반야는 서둘러 가방 깊숙한 곳에 수첩을 찔러 넣는다. 아주 찰나였지만 알 수 없는 부끄러움으로 얼굴이 달아올랐다. 수첩 속에 그린 초희사의 온갖 돌멩이, 풀포기, 꽃송이가 와르르 반야의 머리 속으로 쏟아졌다.

"이거 먹어."

안은 작은 조각 케이크 하나를 반야에게 건넨다. 진한 초코케이크다.

"지나가다 맛있게 생겨서 하나 샀어. 원래 나 먹으려고 산 건데 너 줄게. 시간 되면 한 바퀴 돌고 올래?"

"와, 고마워요. 잘 먹을게요. 지금도 밖에 비 와요?"

"응, 나 우산 있어. 같이 가자."

잠시 망설인 반야는 가방 속 작은 우산을 꺼내 안을 따라나선다. 발소리를 죽이며 도서관 입구까지 나온 두 사람은 라일락 향기 가득한 공기를 가르며 산책을 시작한다. 생각보다 비가 많이 내린다.

"도서관엔 언제 오셨어요?"

"아까. 너 들어오는 거 다 봤지."

풋, 하고 웃는 안의 얼굴에 장난기가 번진다. 비란 참 묘하다. 맑은 날의 사람의 얼굴과 비 오는 날의 얼굴이 다르다. 똑같은 일이 맑은 날과 비 오는 날에 동시에 일어난다면 사람들은 비 오는 날을 더 강렬하게 적어도 인상적으로 기억할 것이다. 캠퍼스 내 호숫가를 세 바퀴쯤 돌았을까.

"반야야."

"네?"

"너 우리 엄마 되게 닮았어."

"진짜요?"

"응, 우리 아버지가 어머니랑 결혼한 이유가 '예뻐서'라고 하신 적이 있었지. 딸들은 아빠 닮는다는데, 너도야?"

무슨 말인가를 하려다 싱겁게 웃고 마는 반야다.

"반야 생일이 언제야?"

"11월이요."

"며칠?"

"30일, 말일이요."

"그렇구나. 그 수첩… 보려고 해서 본 건 아닌데… 너 그림 잘 그리더라. 혹시 미술 전공하려고 했어?"

"아, 그런 건 아니구. 손이 심심하니까 이것저것 그려요."

"집안이 불교야? 수첩에 절 이름 같은 것도 쓰여 있고 그림도 전부…"

"선배, 안 추워요? 비 오니까 약간 쌀쌀한 것 같기도 하고…으으…"

지치지도 않고 안은 질문을 이어간다.

"반야는… 어떤 사람 좋아해?"

어떤 사람이라. 어떤 남자도 아니고 어떤 연예인도 아니고. 어떤 사람이라… 흔치 않은 질문이었다.

"저는 저 같은 사람 좋아해요."

"너 같은 사람? 엉뚱하고 조용하고 맨날 강의실에 뭐 두고다니는? 하하하하."

그 '하하하하'가 문제였다. 각자 우산을 쓰고 걷는 도중엔 옆 사람 얼굴을 볼 일이 잘 없다. 비가 많이 내리면 더 그렇다. 그런데 안의 '하하하하'가 너무도 명랑하고 너무도 매끈하여 반야는 옆을 돌아보지 않을 수 없었다. 웃음과 함께 고개를 젖히며 하늘을 살짝 올려다보는, 그러다보니 어쩔 수 없이 살짝 기울어지게 된 우산의 끝자락과 함께, 안의 모습이 사진처럼 뇌리에 박혔다. 선한 눈매, 반듯한 코, 살짝 웨이브진 옆머리가 구름에 엮여 가는 바람처럼 거칠 것이 없었다. 반야에겐, 그 거침 없음을 당해낼 틈이 없었다.

눈을 뜬 사람은 꿈에서 만난 사람을 다시 볼 수 없듯이, 그 때의 안의 모습을 본 반야는 다시는 봄, 비, 혹은 봄비에 대해 말할 수 없을 것 같았다. 그 날의 안이 당시의 반야가 아는 봄의 전부가 된 순간이었다. 도서관으로 돌아와 우산을 접으며 안이 말했다.

"반야야, 나도 혼자 있는 거 좋아해. 학교에선 사람들한테 늘 둘러쌓여 있지만, 선배 노릇하느라 그런 경우가 대부분이야. 그리고… 나도 나 같은 사람 좋아해, 너처럼."

중간고사가 끝나고 아지랑이처럼 마음이 풀어질 때쯤, 미학개론 수업의 벽화 답사 일정이 잡혔다. 6월만 되도 장마에 더위에 제대로 된 답사를 할 수가 없고, 지금 가면 기가 막힌 풍경을 만끽할 수 있다는 교수님의 제안이었다. 벽화가 있는 곳은 초희사 근처였다. 벽화와 가장 가까운 정거장에서 같은 방향으로 세 정거장만 더 가면 초희사의 초입이었다. 등하교 때 반야가 매일 타는 그 버스를 대학교 선후배들과 같이 타야 했다. 누구에게도 공개하지 않은 '우리 집' 근처를 친구들과 함께 보러 가야 했다.

거의 모든 수강생이 답사에 참여했다. 높은 출석률이었다. 벽화는 그 안에 고래, 사슴, 멧돼지, 늑대를 비롯해 350여 점의 그림이 빼곡히 그려져 있는 어마어마한 규모의 작품이었다. 교수님의 설명으로는 3500년에서 7000년 전 사이의 선사시대 그림으로 추정된다는데 그 앞에 가만히 서있는 것만으로도 당시의 고요와 활기를 느낄 수 있었다. 벽화를 구경하고, 근처 강가에서 점심을 해결한 후, 여기저기 꽃사진을 찍느라 모두가 바쁠 무렵, 한 여학생이 말했다.

"여기 근처에 초희사라는 절이 있다던데. 다들 거기 들렀다 가는 거 어때?"

반야의 심장이 요동친다. 한 번쯤 올 거라 생각했던 순간이 이렇게 맥없이 찾아오게 될 줄은 몰랐다. 이 세상에 절 아닌 어디든 자식을 버린 부모, 부모를 잃은 자식은 많다. 초, 중, 고 12년간의 학창 시절에도 부모님 얘기만 나오면 벙어리가 된 반야였지만, 반야의 머뭇거리는 표정으로, 주섬주섬 자리를 곧 떠날 것 같은 다급한 몸동작으로 사람들은 더 이상 부모님에 대한 깊은 질문은 해 오지 않았었다. 하지만, 지금은 '초희사'라는 실체를 눈앞에 둔 상황인 만큼 자신이 '버려진 고아'라는 사실이 밝혀질 것에 대한 앞선 불안감과 긴장감이 여느 때보다 크게 엄습해 왔다.

가고자 하면 못 갈 건 없다고 되뇌어보는 반야다. 정 안 되면 방문객인 척 연기를 할 수도 있고, 사정이야 스님께 차차 말씀드리면 이해해 주실 것이었다. 만에 하나 자신이 고아임이 밝혀지고, 초희사가 태어나서부터 지금까지의 '반야네 집'임이 밝혀진다 해도, 죄를 지은 것도 아닌데 어때, 할 수 있는 강단쯤은 길러졌다고 생각했다. 그런데 반야의 마음은 생각을 감당하지 못하고 있었다. 자기 자신이 너무 작아지는 느낌이 들면서도, 반대로 너무 커지는 느낌이 들면서도… 마음에게도 마음이 있다면 마음이 가지고 있는 마땅한 해결책을 듣고 싶었다. 달리 할 수 있는 게 없는 반야는 애써 평온한 표정을 짓고 서있다.

"그건 안돼."

단호한 목소리로 대답한 이는 안이었다.

"왜 안 돼요? 시간도 많은데."

"여기 있는 사람 전부가 절에 올라가는 건 무리이지 않겠어? 평지도 아니고… 지난주에 시험 끝나서 여태 피곤한 친구들도 많을 거야."

안과 반야의 눈이 마주친다. 아까의 평온함을 유지하는 반야와 달리 안의 눈은 반야를 향해 반짝인다. 어떤 표정 하나쯤은 지어줘야 한다는 생각이 들면서도, 그 표정 하나가 그 표정 하나를 제외한 모든 것을 설명해 버릴까봐 애써 더 큰 평온함을 유지하는 반야다.

이래저래 오늘은 이만 파하자는 쪽으로 결론이 나고 모두가 버스 정류장으로 향했다. 대부분의 학생은 시내인 학교 쪽으로 다시 돌아가는 버스를 타기로 했고, 반야는 짧은 순간 깊은 고민을 했다. 일행과 섞여 학교에 들렀다 다시 이쪽 방향으로 오는 버스를 타려면 막차까지 끊길 가능성이 높았다. 그렇다고 "난 이 방향 그대로 버스 타고 갈게."라고 말하면 "이 코스 끝이 초희산데 반야 너 집이 그 근처야?" 소리를 들어야만 할 것이었다. 진퇴양난이었다.

궁여지책으로 생각한 것이 잠시 화장실에 들러 자리를 피하는 방법이었다. 학교에서 보자며 인사를 나누고 친구들은 반야가 화장실에 들른 사이 버스를 타고 모두 떠났다. 안도의 한숨과 함께 반야는 초희사로 가는 버스를 타러 터덜터덜 정류장 쪽으로 걷고 있었다.

유자 나무의 하얀 꽃이 만개하여 향긋한 유자향이 지천에 가득했다. 그 중엔 벌써 작고 노란 유자 열매를 꽃 안에 품고 있는 봉오리도 있었다. 숨을 깊게 들이쉬며 유자향을 온몸에 담아보는 반야다. 꽃 핀 나무, 달 뜬 하늘이란 이렇게 아름다운 것이구나, 하며 드문드문 들려오는 풀벌레 소리에 귀 기울이고 있던 찰나, 누군가 반야의 손을 덥석 잡았다.

예상치 못한 순간은 예상치 못한 몸의 반응을 불러일으키기 마련이다. 머리보다 몸이 먼저 움직인다. 그런데 손을 빼야겠다는 혹은 맞잡아야겠다는 몸의 반응에 앞서 이성의 근간인 호기심('누구지?')이 먼저 발동했다는 건 그만큼 반야의 '예상치 못함'의 강도가 세지 않았던 것이라고도 볼 수 있었다.

그렇다면 이 손의 접촉은 예상 가능했다는 뜻일까. 그랬다면 그 예상이란 어느 정도의 깊이와 어느 정도의 넓이였을까. 누군가 손을 잡을 것이라는 것부터가 예상의 범주에 포함되었다면 그때의 변수는 따로 없었다. 다른 이가 아닌 '안'이었을 것이므로. 누군가 손을 잡을 것이며 그 주체가 '안'이라는 것까지가 예상의 범주였다면 이 사건은 그저 발생되기만을 기다린, 이를테면 '시간'만이 변수였던 애초에 '예상 혹은 기대되었던 사건'이라고도 볼 수 있었다. 자신이 알든 모르든 반야는 이 순간을 예상했다. 자신이 알든 모르든 반야는 이 순간을 기대했다.

그럼에도 불구하고 반야는 안의 손을 거두었다. 거두면서까지 느껴지는 따뜻한 손이었다. 그리고는 아무 말도 하지 않았다. '않았다'라는 말은 너무 많은 의지를 나타낸다. 아무 말도 할 수 없었다. 항상 따뜻하고 배려 넘치는, 그래서 모든 이가 좋아하는 안이다. 비 오는 날의 산책 이후론 더더욱 안 생각이 자욱한 반야다. 하지만 막상 안과 자신이 지금보다 더 가까워진다는 생각을 하면 머릿속이 복잡해졌다. 다가올 일상의 흐트러짐, 남들과는 다른 반야의 유년 시절, 그로 인해 받을 상처, 뭐가 아니어도 아닐 그 아닌 것…

안은 손만 잡았지만, 반야는 많은 걸 생각해야 했다.

벌써 12년 전 이야기다. 그해에 안과 관련된 더 이상의 기억은 반야에게 남아 있지 않다. 2학기가 되면서 교양수업의 조도 새로 개편되고, 오다가다 마주치면 가벼운 눈인사를 나누기는 했지만 따로 연락하거나 만날 일은 없었다. 그 당시 4학년이었던 반야는 취업 준비에 여념이 없었고, 철학과 출신의 반야를 받아주는 데는 잘 없었다. 세상은 참으로 비철학적인 곳이었다. 간혹 집안 형편이 좋은 친구들은 미국의 MBA로, 무슨무슨 전문대학원으로 자신을 탈바꿈하며 '철학과 학사 졸업'을 사색하는 현대인의 이미지를 구축하는 데 적절하게 활용했다. 반야에겐 그럴 시간도 능력도 없었다. 어쨌든 안과는 그렇게 멀어졌고 반야는 세상 속으로 뛰어들었다.

그나마 있던 특기를 살려 택한 곳은 작은 보습 미술학원이었다. 전공자가 아닌 반야를 원장은 단 한 번의 눈썰미로 채용했다. 어렸을 때 그림 그리는 것을 좋아했고, 입시 미술까진 못해도 유치원생이나 초등 저학년 미술 수업은 가능할 것 같다는 반야의 말에 원장은 반야의 습작품들이 담긴 파일을 넘겨보며 말했다.

"반야씨 색감 쓰는 게 탁월한데요. 제가 틈 내서 유아, 초등 미술 필수 이론이랑 커리큘럼 강습해 드릴테니 우리 원에서 같이 일해요. 간혹 학부모님들이 선생님 어디 출신이냐고 물으면 대답하지 말고 저 부르세요."

그렇게 학원에서 어린 아이들 교습을 하며 2년여를 보냈고 지금의 남편을 만나 결혼했다. 반야를 눈여겨본 미술학원 원장이 친한 지인이라며 소개해준 작은 수제버거집 사장이었다. 경기를 많이 타는 일이라 스트레스가 적지 않았지만, 그 스트레스가 남편, 당시 남자친구의 성품을 재단하는 좋은 기준이 되어주었다. 애초에 매사 짜증이 없는 사람이었다. 장사가 안된다고 말은 하면서도 그 짜증을 반야에게 푸는 성격이 아니었다. 남편과 반야를 이어준, 그러면서도 둘만 묶어 세상과 떨어뜨려 놓은 한 가지 공통점이 있다면, 남편에게도 부모가 없다는 사실이었다. 두 사람이 결혼한 이듬해에 예쁜 딸이 태어났고 '지혜'라는 이름은 반야가 지었다. 더 이상 지혜 엄마를 '반야'라고 부르는 사람은 없었다.

사람들은 집안일을 '일'이라고 생각하지 않는다. 지금 앉아 있는 책상을 어제와 똑같은 상태로 오늘도 유지한다는 게 얼마나 힘든 일인지 모른다. 하물며 집 전체라야 말할 것도 없다. 하루에 세 끼가 멈추지 않고 몰려온다는 것, 어마어마한 일이다. 반야는 투정 한 번 하지 않고 묵묵히 제 할 일을 했다. 변변한 사회 경험이 없어 온전히 남편을 이해할 수 없었지만, 엄마가 없어 봐서 엄마가 있는 지혜의 행복을 다 짐작할 수 없었지만 크게 불행할 것 없는 정돈된 삶이었다. 가끔 마음이 저며오는 한순간이 있다면, 어린 지혜가 '할머니, 할아버지' 얘기를 꺼낼 때였다. "엄마, 나는 왜 할머니, 할아버지가 다 없어?"라고 묻는 지혜에게 적당히 해줄 말이 없었다. 어린이날이라고 삼촌에게 인형을 선물 받을 수도, 생일이라고 이모에게 원피스를 사달라고 조를 수도 없었다. 사촌 동생과 해외여행을 가는 친구, 대식구가 모여 캠핑을 떠나는 친구들을 마냥 부러워만 해야하는 반야의 딸, 지혜다. 그럴 때마다 반야와 남편은 "대신 지혜한텐 이렇게 좋은 엄마, 아빠가 있잖아."라는 말로 위로를 할 뿐, 끝내 "우린 세 식구뿐이야, 영영."이라는 말은 할 수가 없었다.

며칠 전 담근 유자청이 어느 정도 여물었는지 제법 끈적해졌다. 반야는 유자청 한 스푼을 떠서 컵에 넣고 펄펄 끓는 물을 넣는다. 이 차를 마시고 나면 안을 만나러 집을 나선다. 세돌탑에서 우연히 마주친 날, 안은 반야에게 자신의 명함을 한 장 건넸다. 안의 이름 앞에는 세계적인 증권사 이름이 반짝이고 있었다.

"얼마 만인지… 반갑다 반야야. 여기 내 명함이야, 꼭 연락해. 아니다, 내가 하라고 하면 넌 안 할 것 같아. 내가 연락할 테니 번호 적어줘. 번호가 바뀐 것 같던데…"

'내 번호가 바뀐 걸 어떻게 알았지? 나한테 연락 한 적이 있었나…?'

명함을 손에 쥐고 내려오던 초희사의 산길이 유독 짧았던 기억이 선명하다. 오랜만에 보는 안의 선한 눈매와 반듯한 코, 살짝 웨이브진 옆머리… 모든 것이 12년 전 그대로였다. 다른 곳도 아닌 초희사에서, 그것도 세돌탑 앞에서 안을 마주치게 될 줄은 꿈에도 몰랐다. 무슨 정신으로 내려왔는지 두 걸음, 세 걸음씩 쫓기듯 산길을 내달렸던 기억만 뚜렷하다. 이유 없이 몸이 아팠던 것도, 조용히 상념에 잠기는 시간이 늘어난 것도, 때때로 알 수 없는 잡념이 많아지기 시작한 것도 모두 그즈음부터였던 것 같다.

조용한 카페에서 만난 안과 반야는 테이블을 사이에 두고 마주앉았다.

"잘 지냈어?"

"네.. 선배도 잘 지내셨어요?"

"응. 그때 만난 이후로 최대한 빨리 시간 잡아보려고 했는데, 오늘밖에 시간이 안 나더라구. 나와줘서 고마워 반야야. 넌 하나도 안 변했다. 우리 졸업한 지 십 년도 더 됐지?"

"네. 시간 정말 빠르죠…"

"그동안 어떻게 지냈어?"

"전 졸업하고 미술학원에서 잠깐 일 하다가, 결혼해서 아이 하나 있어요. 지금은 살림하면서 평범하게 지내요. 선배는 유명한 증권사 다니시는 것 같던데…"

"맞아, 반야 그림 잘 그렸었지. 난 입사하고 한국지사로 온 지 얼마 안 됐어."

"아, 외국에 계셨어요?"

"응, 미국에서 학위만 받고 오려고 했는데 취업까지 하게 되어서, 처음 계획보다 오래 있다 왔어."

"결혼은…"

"했어. 아들 하나 있구… 우리 예전에 수업 하나 같이 들었었잖아. 그때가 한창 유학 준비 하던 때였어."

"맞아요, 미학개론 수업 같이 들었었죠. 유학 준비 중이신 줄은 몰랐는데..."

"응, 말 안 했어… 그 해 봄엔가 우리 벽화 보러 간 거 기억나?"

"네, 기억하죠."

"그 날… 내가 반야한테 많이 미안해 했던 거 알아?"

"왜요?"

"벌써 오래 전 일이구나… 나 그 해에 굉장히 바빴었어. 십이월에 당장 유학은 떠나야 하고 졸업 준비에, 교수님들 상담에, 밀린 학점 관리하느라 정신이 하나도 없었지. 돌아보면 그때 각자 나름으로 다들 참 바빴던 것 같아. 그런데 그 와중에 반야 너가 자꾸 마음에 걸리는 거야. 우리 벽화 답사 끝나고 버스정류장에서… 내가 손 잡았던 거 기억…할까? 이제 와 말로 꺼내는 것도 멋쩍지만, 다 지난 일이니까. 그 땐 나름 순수한 마음, 그냥 선배로서가 아닌 뭔가 다른 인상을 주고 싶었던 내 표현이었는데, 멈칫하다 손을 빼는 네 모습에 많은 감정이 느껴지더라고. 나를 손끝이 검은 사람으로 오해하면 어쩌지… 내 마음이 다른 의도로 전달되면 어쩌지… 며칠은 잠도 못 잔 것 같아. 내가 한 행동을 후회하진 않았지만, 혹시 네가 당황해하고 불편해할까 봐 걱정이 되더라구. 연락을 해볼까 하다가도, 어차피 난 미국으로 떠나야 하는 상황이었고, 반야 넌 나를 슬금슬금 피하는 것도 같고… 이기적이라고 생각할 수도 있겠지만 그 땐 나도 어떤 게 현명한 행동인지 잘 몰랐던 것 같아. 내 상황을 다 설명하고 더 적극적으로 다가가 볼까, 그냥 이 자리에 머물까 하루에도 수십 번 생각하고 고민했었어. 다른 것보다 반야 너의 마음, 나에 대한 네 마음을 알고 싶었지. 결국엔 묻지 못했지만…

그래서 나 유학 갔다 오자마자 제일 먼저 찾은 곳이 초희사였어. 미국에 있으면서도 한 번은 네 소식 들려오길 바랐었는데… 소식 알고 있는 동기나 후배들도 없고, 연락처는 바뀐 것 같더라고. 반야 네가 기억할지 모르겠지만, 언젠가 내가 네 수첩 돌려준 일이 있었거든. 강의실에 놓인 그 수첩 발견했을 때 나 내심 좋았어. 모든 페이지, 모든 그림 안에 네 모습이 담겨 있더라구. 그때 수첩 표면에 '초희사'라고 적혀 있던 게 생각나서, 무작정 찾아갔었어. 어떤 여자 스님께서 너에 대한 많은 이야기를 해주시더라고. 어렸을 때부터 초희사에서 자랐고, 학교도 거기에서 다녔고, 지금은 이미 결혼 해서 속가로 돌아갔다는 얘기까지… 그리고 어떻게 초희사에 오게 되었는지에 대한 사연도 들었어. 그런데 이상한 건, 그러고 나니 네가 더 보고 싶더라고… 그 때 알았지. 내가 생각보다 반야를 많이 궁금해하고 그리워 했었구나…"

반야의 손이 떨려온다. 듣고 싶었던 얘기를 들어서일까. 하고 싶었던 얘기를 들어서일까. 안의 말 한마디 한마디가 구비구비 영상으로 펼쳐지며 한바탕 꿈을 꾸고 온 것 같은 반야다. 지금 반야 앞에 마주한 안은 12년 전의 안에 가까운가, 현재의 안에 가까운가. 지금 안 앞에 마주한 반야는 12년 전의 반야에 가까운가, 현재의 반야에 가까운가. 안이 쏟아 놓은 말 중 처음부터 준비한 말은 무엇인가. 할 생각이 없었으나 해버린 말은 무엇인가. 하려 했지만 하지 못한 말은 무엇인가…

어떤 이의 긴 말은 대개 한 문장으로 수렴한다. 반야를 향한 안의 말은 어떤 문장으로 수렴하고 있는가. 말로 사람의 마음을 헝클어트리긴 쉽지만, 말로 헝클어진 마음을 수습하기는 어렵다. 안의 문장 속에 숨은 반야의 마음은 헝클어졌을까 수습되었을까. 왜 어떤 일, 어떤 말은 지나고 나서야만 그 의미가 풍성해지는 것일까…

한동안 말이 없던 두 사람은 안을 찾는 회사의 다급한 연락으로 자리를 떠나야 했다. 카페를 나서며 안이 말했다.

"반야야, 12월 31일에 시간 내줄 수 있어? 오르세미술관 내한 전시 한다는데 같이 가자. 우리 미학개론 때 오르세미술관 프로젝트 했던 거 생각나지…? 꼭 너랑 같이 가고 싶어."

"알겠어요, 선배."

짧고 확실한 반야의 대답이었다.

새해는 시간에 앞서 공간으로 한발 먼저 찾아오는 것 같다. 내일은 신년이라 길거리도 손님맞이에 분주하다. 크리스마스 트리를 가게 안쪽으로 들여놓는 직원, 설 선물 세트를 진열하는 슈퍼마켓 주인, 여기저기 쌓인 눈을 치우는 환경미화원, "팥붕 2개, 슈붕 2개요~" 열심히 붕어빵을 주문하는 여고생들… 그 사이 나긋나긋한 발걸음으로 약속 장소를 향해 걷는 반야가 보인다.

'이미 와있을까? 아직 안 왔을까?'

반야는 손을 호호 불어가며 주위를 살핀다.

'2시까지 여기에서 만나기로 했는데…'

시계를 한 번 확인하고 다시 주위를 둘러본다.

'어, 저기 온다!'

차 문이 열리고 기다리던 이가 모습을 나타낸다. 손을 흔들며 반기는 반야다.

"엄마~"

"우리 지혜 왔어? 놀이공원 안 추웠어? 고생했네 우리 딸… 선생님도 수고 많으셨어요. 지혜야, 엄마랑 코코아 한 잔 마시고 들어갈까?"

"응, 좋아. 엄마, 나 엄마 주려고 이 머리띠 사 왔어. 예쁘지?"

"예쁘다. 엄마한테 잘 어울릴 것 같아?"

"응, 엄마는 다 예뻐."

반야는 딸과 함께 코코아를 마시고, 집에 돌아와 뜨끈하게 목욕을 하고, 고단할 남편을 위해 푹 끓인 김치찌개를 준비했다. 세 식구는 촛불 하나를 켜고 새해 소원을 빌며 오늘 지혜의 놀이공원 소풍에 대한 이야기를 밤이 새도록 함께 나누었다. 그렇게 반야네 식구의 한 해가 저물어가고 있었다.

새해 아침, 반야는 책상에 앉아 펜을 든다. 서랍 안쪽에 있던 편지지 두 장을 조심스럽게 꺼낸다. 깊게 심호흡을 하고, 이내 편지를 써 내려간다.

안 선배에게.

선배, 말보다는 글이 나을 것 같아 이렇게 편지를 써요. 할 말이 많은데 잘 전달될는지는 모르겠어요. 얼마 전 선배와의 만남 이후 며칠간 참 설레고 좋았어요. 옛 사람을 만난다는 건 이렇게 마음이 따뜻해지는 일인가봐요. 아주 예전부터 선배에게 묻고 싶었던 것들이 많았는데, 그날 전 대답을 다 들었다고 생각해요.

십이 년 전, 봄에 벽화 답사 갔던 날… 선배가 미안해 한 꼭 그만큼 전 후회를 했었다면 우린 결국 같은 걸까요? 선배의 따뜻한 손을 슬그머니 벗어나면서부터가 후회의 시작이었다면, 이 글을 읽는 지금은 또 다른 후회가 시작 되려나요… 그 봄이 다 지나고, 여름, 가을, 겨울이 되어서까지 선배의 손에 기대어 새로운 운명을 펼치면 어땠을까,를 상상하곤 했다면 믿을 수 있으실까요.

초희사 수첩을 돌려준 날, 선배는 이미 읽으셨을 거예요. 군데군데 적혀 있던 선배에 대한 작은 메모들. 끝내 모른 척하며 초코케이크를 건네던 선배의 모습이 어찌나 고마웠는지… 같이 우산 쓰고 나가자며 산책을 권하던 선배 앞에서 부득불 제 우산을 꺼내 챙겨나가던 모습도 후회의 다른 이름이라면… 제 마음도 다 설명이 되는 걸까요. 졸업 후 첫 직장으로 미술학원을 떠올린 것도 선배의 "그림 잘 그린다"는 한마디가 그 시작이었다면… 제 인생에 있어 선배의 의미가 어느 정도였는지 조금은 그려지시나요.

우리 세돌탑에서 만난 날, 그 날이 제 생일인 거 알고 초희사에 오셨던 거죠? 고마워요, 선배. 어쩌면 선배와 나는 진즉 서로 말고는 갈 데가 없는 사이가 될 수도 있었겠다, 생각하면 마음이 저릿해져요. 때마다 말할 수 없었지만 고마웠던, 반짝이던 순간들이 정말 많이 남아있어요.

누구에게나 한없이 마음이 다감해지는 그런 한 시절이 있죠. 그 시절이 저에겐 선배와 함께한 때가 아니었나 싶어요. 선배에게 한번쯤 물어보고 싶고, 한번쯤 말하고 싶은 일들이 많았었는데… 그 한번쯤을 놓쳐서 내내 후회했는데… 함께 미술관에 가자던 약속은 지키지 못할 것 같아요… 나 이 순간을 또 후회할까요?

선배의 건강과 행복을 늘 기원할게요. 그럼 이만.

그리움을 담아, 겨울을 담아, 반야.

NPC K-19 C의 이야기

올린

올린

올린

부모님께 선물받은 한글이름. 좋아하는 것은 여행과 음악, 별, 우주, 비행기. 그리고 이세상 모든 동물들을 사랑합니다. 아침에 일어나면 꿈에서 본 것들을 메모하거나 녹음합니다.

말도 안 되게 황당하지만 그래도 일리 있는 이야기의 소재들을 모으고 있습니다. 언젠간 모두 세상의 빛을 받고 나오는 시간을 고대하며 일단 저의 메모장에 잠들어 있던 NPC 부터 깨워 보았습니다.

instagram: @ollin_valenti_studio

알 수 없는 마주침

“혹시 당신이 NPC 라는 거 알고 있어요?”

전날 내린 비로 한층 낮아진 기온에 검은색 롱패딩을 입고 움츠린 몸을 이끌며 회사로 출근하고 있던 채린에게 갑자기 한 남자가 다가와 이상한 질문을 한다. 순간 흠칫하긴 했지만 그다지 놀랍지는 않는다. 지하철역 주변에 도를 아십니까 같은 사이비 종교단체들이 ‘호구’를 낚으려고 매일 출몰하고 있던 터라 역에서 내리면 이런 사람들과 마주치는 것이 출퇴근의 루틴이 되어버렸기 때문이다.

“추워 죽겠는데 이 날씨에 아침부터 부지런도 하다 참….” 마지못해 일어나 세상 다산 얼굴로 출근하는 자신과 다르게 저 사람들은 아침부터 생기 넘치는 얼굴로 저렇게 열심이니 오히려 채린 자신보다 더 부지런하게 사는 것 같이 느껴진다. 오늘도 평소와 똑같이 못 들은 척 지나가던 그 순간, 문득 채린은 남자의 질문이 거슬린다.

‘근데 지금 뭐라고 한 거야, NPC?’

요즘 '도를 아십니까' 사람들은 길을 물어보는 척하거나 설문조사 도와달라면서 운을 떼는 게 보통이다. 그런데 NPC라는 생소한 단어를 써가며 루틴에서 벗어나는 질문을 하는 그 남자의 질문에 채린은 저도 모르게 걸음을 멈추고 되물었다.

"NPC요?"

남자는 걸음을 멈추고 고개를 갸웃거리고 있는 채린에게 생긋 웃으며 가까이 다가와 같은 질문을 반복했다.

"당신이 NPC라는 거 인지하고 있냐고요."

"N…. PC가 뭐예요?"

"컴퓨터 게임 안 해봤어요? 게임의 주인공 말고 게임 세계관 때문에 설정된, 음…. 그러니까 쉽게 말하자면 주인공 옆에 그냥 지나가는 사람을 뜻 하죠."

채린은 대답을 듣자마자 고개를 저으며 다시 회사로 발걸음을 돌렸다.

'뭐야 신종 사기인가? NPC 같은 소리하고 있네 콱!'

잠시나마 흥미를 느낀 자신이 바보 같다고 생각하며 뒤돌아 걸어가는 채린의 뒤에서 그 남자는 갑자기 채린을 향해 소리쳤다.

"진짜예요! 당신이 사는 이 세계는 누군가가 만든 세상이라고요. 진짜가 아니에요! 내 말 좀 들어봐요!"

나 열심히 살아왔다고!

“와…그랬으면 좋겠네. 그래 차라리 이 상황이 진짜가 아니었으면 좋겠다!”

정신 나간 말로 창피하게 채린을 향해 소리치는 저 의문에 미친 남자를 뒤로하며 회사로 걸어가는 채린은 사실 이번 주 내내 긴장감과 우울 속에서 출근하고 있었다. 그런 채린은 차라리 이 현실이 가짜였으면 좋겠다는 생각이 들었다. 서울에 있는 금융 회사 사무직 직원으로 근무 중인 채린은 다음 주에 있을 회의 자료준비와 업무가 쌓여 있는 상태. 그런데 거기다 회의 때 발표를 맡기로 한 대리님이 갑자기 병원에 입원하게 되는 바람에 발표까지 도맡아 버렸다. 대리님 말고 팀에 발표할 사람이 채린 밖에 없기에 거부할 수도 없는 일. 처음 입사하고 회의에서 발표 중 다른 내용을 발표하는 실수를 범한 이후로 회의 발표에 트라우마가 생겨 버렸다. 그 시간을 또다시 마주해야 한다는 것이 이번 주 내내 마음을 짓눌러 다른 생각 할 시간조차 없었다.

어느덧 회사 사무실에 도착해 가방을 내려놓으니 아까 출근길에 만난 그 미친 남자의 말이 다시 떠오른다.

‘뭐? NPC? 그냥 지나가는 사람? 그래 나도 알아! 이제는 내 인생 더 특별하지도 않다는 거. 나도 그냥 그런 평범한 사람 중의 하나라는 거! 근데 그걸 NPC니, 주인공 옆에 지나가는 그냥 사람이니 하면서 사람 기분을 짓밟을 필요 있어? 굳이 상기시키지 않아도 다 안다고!’

속으로 외친 말이었지만 채린의 눈에 눈물이 고인다.

채린이 이렇게 그 남자의 말에 울컥하며 필요 이상 기분 나빠 하는 이유는 회의 발표에 대한 부담감 때문만은 아니다. 회의 발표에 트라우마가 생겼다는 채린의 원래 꿈은 뮤지컬 배우였다. 어렸을 때부터 지루한 게 싫었고 어디서든 튀고 싶고 주목받고 싶었다. 학교 학예회 때 무대에 서서 연기하고 받은 박수갈채를 잊지 못하고 언젠가 진짜 무대에 서리라 다짐했던 채린. 그런 채린을 부모님도 자랑스럽게 봐주셨다. "우리 채린이는 특별한 아이니까! 하고 싶은 거 다 하고 살 수 있어!".

채린은 그 꿈이 당연히 이루어질 것으로 생각하며 20대 내내 오디션을 보러 다녔다. 중간중간 나름의 성과도 있었다. 여러 군데 문을 두드린 덕에 유명한 뮤지컬에 조연으로 참여도 했고 극단 오디션에 합격하여 아르바이트하며 배우 준비도 했었다. 그런 작은 성과들이 더더욱 꿈에서 헤어 나오지 못하게 했다. 하지만 도전하면 도전할수록, 내가 좋아하는 일을 직업으로 삼는다는 건 아무에게나 찾아오는 행운이 아니라는 것을 현재 31살의 채린의 현실이 보여주고 있다. 이제는 해맑게 꿈만 좇던 소녀에서 31살의 현실과 타협하는 어른 여자가 되어버린 것이다. 세상에서 채린이 제일 특별한 삶을 살기 바라셨던 부모님은 "누구는 다 적성에 맞아서 회사 다니니? 다 그러고 사는 거야. 하고 싶은 거 다 하고 사는 사람은 없어. 회사 자리 잡고 결혼도 해야지!" 라며, 채린이 세상 누구보다 평범하게 살길 바라는 부모님으로 바뀌었다.

채린은 어디서부터 잘못된 건지 생각한다. 이렇게 살고 싶지 않았는데. 그때 그 오디션 기회를 잡았어야 해, 내가 연습이 부족했던 걸까? 정말 열심히 도전했는데. 아니면 나…재능이 없는 건가?

각자의 의견

정신없이 오전 업무시간이 지나고 점심시간. PC 메신저 단톡방이 깜박거린다.

보라 [채린! 오늘 발표날 아니야? 메일 확인했어?]

채린 [아 맞다!!! 오늘 오전부터 정신없이 너무 바빠서 발표 날인줄도 몰랐네.]

채린은 적성에 안 맞는 회사에 다니면서도 가끔 나오는 뮤지컬 오디션 공고가 나면 도전해 보고 있다. 20대 후반부터 오디션은 지원만 했다 하면 탈락이다. 이번에도 간만에 소개로 지원한 오디션인데 기대도 안 한다.

그래도 오디션에 지원하고 결과를 보는 이 순간은 잠시지만 두근거린다. 혹시나 재미없는 이 일상을 그만둘 수 있는 출구가 생기지 않을까?

[오디션 참가자 전체 공지 메일]

'저희 뮤지컬 배역에 지원해 주셔서 대단히 감사합니다. 안타깝게도 내부 사정으로 인해 금번 작품은 무기한 연기가 되었습니다…'

채린 [뭐야 내부 사정으로 작품 무기한 연기되었다는데? 이거 거짓말 아니야?]

보라 [뭐? 이미 배역 뽑아 놓고 공고 올린 거 아니냐? 너무하네. 참나]

도연 [아쉽네~고생했어.]

보라와 도연은 채린과 함께 대학생 때부터 같이 뮤지컬 배우 지망생으로 함께 동고동락했던 친구들. 보라는 일찌감치 뮤지컬 배우에 대한 마음을 접고 뒤늦게 연출 공부를 하기 위해 대학원에서 공부 중이고, 도연은 셋 중 유일하게 원했던 꿈을 직업으로 만든 친구다. 꽤 유명한 곳에도 캐스팅되어 점점 더 다양하게 활동을 넓히고 있다.

채린 [아침부터 출근길에 이상한 놈 이랑 마주치더니 오늘하루 되는 일이 없다 정말~]

도연 [뭐야..나도 아침부터 이상한 사람 만났는데?]

보라 [어! 그 사람 NPC 얘기하는 남자 맞지?!]

채린 [이게 무슨 일이야? 그 키 크고 하얀 얼굴 남자? 전국적으로 일어나는 NPC사기인가?]

도연 [맞아 인상착의 똑같아 NPC남자!! 얘들아 오늘 저녁에 시간 괜찮아? 할 얘기도 있고. 만나서 얘기하자!!]

퇴근까지 앞으로 2시간. 채린은 빨리 만나서 이들과 그 남자가 말한 NPC에 관해 얘기하고 싶어참을 수가 없다. 요즘 신종 사기인가? 그런 생뚱맞은 질문을 우리 셋 모두에게 하다니. 게다가 물어봤다는 사람은 모두 동일 인물 같았다. 영화나 소설에서 있을법한 이야기가 무섭기도 하면서 한편으론 그 남자를 다시 만나 길게 얘기 들어보고 싶은 마음마저 생겼다. 퇴근 후 빠르게 약속 장소인 도연의 소속사 사무실로 도착한 채린. 사무실 1층에는 도연의 사진이 크게 걸려있다. 채린은 친구 도연이 진짜 꿈을 이룬 것이 새삼 실감이 났다. 사진을 보고 있자니 같이 오디션 보던 날들이 떠올라 벅찬 마음이 들면서도 도연이 꿈을 이루고 성공하는 동안 나는 뭘 하는 건가 싶고. 주인공인 도연 옆에 조연이 되는 것 같아 또다시 울적해진다.

안내를 받아 도착한 방에는 먼저 도착한 보라와 함께 도연이 앉아 있었다. 1층에 걸려있던 대형 사진에 있는 유명 뮤지컬 배우 도연이 아닌 이 순간만큼은 하나의 꿈을 향해 같이 걸어갔던 채린의 단짝 도연이였다. 장소는 편한 곳이 아니었지만 오랜만에 셋이 배달 음식을 먹으며 오랜만에 한참을 시답지 않은 이야기로 수다를 떨었다.

"근데 다들 그 사람 어떻게 만난 거야? 그 NPC 어쩌고하는 사람 말이야." 채린의 물음에 도연은 남 얘기 하듯 대답한다.

"아~나는 오늘 아침 촬영장에서 쉬는 시간에 어떤 키 크고 얼굴 하얀 사람이 말을 걸더라고. 다짜고짜 얘기 좀 들어달라길래 대기시간이 길어지기도 했고 심심해서 들어보자 했지. 근데 대뜸 내가 NPC라는 거야! 그리고 이 세계가 게임세상이라면서 오류가 생겨서 알려주려고 나를 만나러 왔다나?"

"완전 똑같아 나도!" 보라가 상기된 얼굴로 대답했다.

"와 너희 되게 길게 대화했네? 나는 NPC라는 얘기 듣자마자 도를 아십니까 인줄 알고 무시하고 도망갔는데. 그래서? 그 다음은?"

"응? 이게 끝인데? 이상한 사람 같아서 경호원 불러서 끌어냈어."

도연은 별일 아니었다는 듯이 대답했다.

"뭐야. 아까 할 얘기 있다며. 이 얘기 아니었어?"

"아니야! 할 얘기는 다른 거야~ 이건 그냥 재밌는 에피소드지! 너희한테도 같은 사람이 왔었다는 건 신기하지만"

"보라 너는? 무슨 얘기했는데??"

"나도 도연이한테 말한내용 그대로야. 처음엔 어이없었지만, 재밌더라? 나중에 연출이나 각본 쓸 때 도움이 되지 않을까 싶어서 메모하면서 들었지!"

그 남자의 말로는 이 세계가 게임 속 세계인데 오류가 생겼다고 한다. 게임을 만든 사람이 오류의 원인을 제거하고자 게임에 접속했는데 본인들만으로는 역부족이라 선택된 몇몇 NPC들에 임무를 주려고 말을 걸었다고 한다.

"임무가 뭔데?" 채린의 질문에 도연도 궁금한 표정으로 보라를 바라봤다.

"은근히 심플하더라고. 힘든 일이 있으면 자기들에게 Help 표시를 보내래. 그게 게임 오류 수정 코드라나? 그 외에는 평소처럼 우리 마음대로 자유롭게 지내면 되는 거고"

"선택된 NPC들만 임무를 수행하면 오류가 해결되는 거야?"

"뭐야. 진짜 이상하네 재미도 없다 야" 도연은 더 들을 필요도 없다는 듯이 자기 이야기를 시작했다.

채린은 보라의 이야기를 더 듣고 싶었지만, 도연의 뜬금포 이야기에 금방 시선을 뺏겼다.

"나 미국간다. 미국에서 활동할 수 있는 기회가 생겼어! 거기서 처음부터 다시 시작해 보려고!"

도연은 뮤지컬 배우로 데뷔했지만, 조연으로 출연한 드라마에서 인기를 끌며 다양한 연기를 할 수 있는 유명 배우가 되어가는 중이었다. 채린은 유명 배우까지는 바라지도 않는다. 뮤지컬 무대에 올라간다는 그 자체로도 너무 부러운데, 저렇게 아무렇지도 않게 말하는 도연이 얄밉게 느껴지기도 했다.

"더 다양한 곳에서 연기를 해보고 싶더라. 한번 풀리면 계속 일이 이어지는 것 같아. 회사에서도 다 준비해 줬고 내가 누군가에게 Help를 외칠 일은 없어. 안 그래? 내가 다 잘 하는데 뭘."

자신감이 넘치는 도연은 이번에도 해내고야 말 것이라는 얼굴로 세워둔 계획들을 읊었다.

NPC 얘기는커녕 도연의 원대한 미국진출 계획 이야기들을 들으며 도연이라는 주인공 옆 조연, 말 그대로 도연의 미국 진출 스토리의 NPC가 된 기분으로 집으로 돌아가는 길.

뭔가 끝나지 않은 찝찝함에 채린은 보라에게 아까 하다 만 NPC 남자 이야기를 물어본다.

"그래서 넌? 그 임무 하겠다고 했어? 아니 그보다 우리가 NPC라는 거, 이 세계가 가짜라는 거 그게 믿어져?"

"사실 나도 어렴풋이 이 세상이 다가 아니라는 건 느끼고 있었어. 세상의 부조리, 맘대로 안 되는 인생사. 너무 불공평하잖아? 우리 교수님도 알고 있는 거 같아. 선택된 NPC들이 많이 있는 모양이야." 보라가 비장한 표정으로 대답했다.

"아무튼 난 그 임무 한다고 했어. 어려운 일도 아니잖아? 힘들 땐 Help 외치기! 나를 잡아줄 누군가가 있다는 그 자체로 맘이 놓이더라고. 이런 Help 코드들이 모여서 오류가 고쳐질 거라고 하던데. 믿어보려고. 너도 그 사람 다시 만나서 물어봐. 아 그 사람이 조만간 너 다시 만나러 갈거 라더라. 엇! 채린아 나 버스 왔네. 간다!!!"

또다시 만난 그 사람

"어? 저기요! 당신!!! 그 NPC 남자 맞죠?"

야근을 끝낸 채린은 집으로 가는 지하철역 앞에서 그 남자를 다시 마주쳤다.

키 크고 하얀 얼굴. 채린은 이 남자를 다시 만나려고 요 며칠간 계속 지하철 주변을 기웃거렸다.

“잘 지냈어요? 드디어 만났네요. 오늘은 길게 얘기 들어줄 수 있어요?” 남자는 채린을 바라보며 미소를 지었다.

채린과 남자는 회사 근처 대형 카페로 들어가 자리를 잡았다.

“소개가 늦었죠? 저는 게임 회사 GC 소프트에서 개발자로 일하고 있는 윤정한이라고 합니다.”

“게임 회사 이름이 GC 소프트라니. 어디 유명한 게임 회사 따라 한 가짜 같은 이름이네요”

“가짜 라뇨! 채린씨가 할말은 아닌데.” 이미 채린의 이름까지 알고 있는 이 남자.

“이미 제 이름까지 알고 계시네요. 아, 제 친구들도 만나셨더라고요? 도대체 왜 저랑 제 친구들이 NPC라는 거죠? 보라에게 대충 이야기는 들었는데 너무 혼란스러워요. 제가 알아듣게 설명 좀 해보시죠?” 팔짱을 끼고 따지는 채린을 흥미롭다는 듯이 쳐다보던 그 남자는 어떻게 설명해야 할지 잠시 고민을 하더니 이내 입을 열었다.

“자, 일단 제 이야기가 이상하게 들릴 순 있겠지만 끊지 말고 들어줘요. 채린씨와 도연, 보라 씨가 살고 있는 지금, 이 세계는 저희 회사 프로젝트 개발팀에서 만든 ‘2024K-earth’라는 게임 속 안 세상이에요.”

첫 대답부터 말도 안 되는 이야기에 채린은 두 눈을 질끈 감으며 한숨을 내쉬었다.

이 허무맹랑한 인트로는 뭐지. 보라 말대로 작품 소재로 쓰면 딱 좋을 것 같긴 한데.

"네 믿어지지 않죠? 지금 채린씨 반응 이해해요. 근데 때로는 보이지 않는 것이 실제일 수도 있어요." 정한은 차분하게 이야기를 이어갔다. 어쩐지 여유로우면서도 차분한 정한의 목소리에 채린은 다시 한번 귀를 기울여 보기로 했다.

"이 게임은 우리 회사 회장님이 심혈을 기울여 만든 게임이에요. 애정을 가지고 이 세계관을 만드셨다고요. 하나하나 의미 없는 게 없어요. 이 지구랑 채린씨라는 캐릭터가 살고 있는 이 대한민국이라는 나라도 그렇고요. 하나하나 진심으로 최선을 다해 만드셨어요. 근데 팀장도 아닌 회장이 게임을 만들었다니 신기하죠? 전 뭐 회사에서 시키니 그냥 복종하는 거지만요. 채린씨도 회사원이니까 알 거 아니에요. 사실 회장같이 높은 자리에 있는 사람이 왜 힘들게 게임을 만드나 왜 이렇게 열정적으로 만드는 건가 싶기도 했는데 상사가 시키니까 그냥 하는 거죠 뭐. 저를 포함한 팀원들은 뒤늦게 합류해서 회장님이 다 만들어 놓으신 게임에 숟가락만 얹은거에요."

"네~ 그러세요~? 그 게임 회사 높으신 회장님이 여기를 사랑으로 만드셨구나~ 전 누가 만들었든 상관없어요. 제가 짜증 나는 건 그러면 NPC인 저에게 왜 자아를 부여한 거래요? 차라리 아무런 생각 없이 두둥실 주인공 옆에서 떠다니는 행인 1 캐릭터로 대충 만들든가 하시죠. 저 요즘 회사 다니기 싫어 죽겠다고요. 이 세상은 하고 싶은 것만 하고 살 수 없는 게 너무 괴롭다고요." 비꼬며 따지는 채린.

"네 맞아요. 저도 회장님에게 질문해 봤는데 쉽게 가르쳐 주시지는 않네요. 어렵죠. 아마 모든게임의 이유는 이 게임이 서버 종료되어야 알 수 있을 거예요."

"서버 종료? 종료일이 언제인데요??"

"그건 비~밀~헤헤"

진지한 대화 속에서 갑자기 키득대는 정한을 계속해서 혼란스러운 표정으로 바라보는 채린.

"흠흠 아무튼! 보라 씨에게 들었죠? 얼마 전부터 세계관 서버에 오류가 생겨서 저희 팀원들이 야근중 이예요. 저희도 빨리 퇴근 하고싶어서 열심히 오류를 제거하려고 하고 있어요. 근데 NPC 캐릭터들이 같이 도움을 줘야 해요. 도연 씨처럼 도와주지 않는 NPC들이 대다수지만요. 임무는 너무 쉬워요.

첫번째, 일단 본인이 NPC임을 자각할 것. 두번째, 힘들고 지치고 어려울 때, 그러니까 저희 입장에서는 오류가 생길 것 같을 때 하늘에 대고 Help를 외쳐주세요! Help는 게임 코드예요. 간절하게 외쳐주면 저희가 들을 거예요. 여러분들이 그렇게 임무를 행해주다 보면 주변 NPC들에도 영향이가 언젠간 함께 참여하게 될 거예요. 도연씨도!"

"음..이걸 임무라고 할 수 있어요? 이 게임은 오류를 고치는 방법이 참 특이하네요?"

"네 맞아요. 일반 게임과 달라요. 이 게임의 캐릭터들은 모두 NPC 예요. 주인공이 없어요. 즉 NPC 모두가 주인공인 샘이죠? 그러다 보니 NPC임에도 자유의지 스킬이 들어가 있고요. 이 자유의지 스킬이 회장님이 고심하고 넣은 비기였는데, 바로 이 자유의지 때문에 오류가 생긴 것으로 추정하고 있어요. Help 코드를 넣으면 우리가 정한 더 좋은 길로 갈 수 있도록 오류를 고칠 거예요."

"뭐야 그럼 우리가 가는 길이 다 정해져 있다는 건가요? 자유의지와는 너무 반대되는 이야기인데…?"

"아, 네 맞아요. 방향은 정해져 있어요. 이 게임을 만든 회장님은 이 게임 세계관의 사람들이 모두가 즐겁게, 행복하게 생활하길 바라셔요. 그렇기 때문에 게임 서버 종료일까지 그 반대되는 일들이 벌어지지 않길 바라시는 거죠. 그걸 오류라고 보는 거예요."

"그럼 게임의 모순 아닌가요? 그 자유의지 때문에 사람들은 즐겁고 행복하기도 하지만 괴로울 수밖에 없다고요. 저도 20대 때부터 뮤지컬 배우가 되기 위해 계속 오디션만 보고 시간을 다 날린 것 같아 괴로워요. 결국 제가 선택한 길이지만요. 이렇게 관련도 없는 일을 할 거면 난 그때까지 뭘 했던 거죠? 어차피 NPC 라면 다 무슨 소용인가도 싶고요. 이 자유의지가 너무 버겁네요. 주인공이라는 말도 좋게 들리지 않아요. 그럼 그 게임 만드신 분이 넣은 자유의지가 오히려 저희를 고통속에 넣는 거 같은데요?"

"채린씨, 하고 싶은 어떤 일이 있다는 거. 그 자체로 좋은 거예요. 채린씨가 뮤지컬 주인공 배우로서 지금 당장 활동은 못하고 있다고 해도 지금까지 해왔던 노력과 도전이 앞으로 어떻게 작용할지는 모르는 거예요. 인생은 B와 D사이의 C! 게임의 모순이라고 하기보단 자유의지의 묘미 라고, 생각하는 건 어때요?"

"결국 저의 선택이 중요하다?"

"채린씨의 선택을 존중해요 우리는. 모든 일에 우연은 없어요. 채린씨가 그 꿈을 갖게 된 것이 아무 의미도 이유도 없다고 생각하지 말아요."

깊은 생각에 잠긴 채린을 바라보던 정한.

"자 이제 저는 로그아웃하고 퇴근합니다. 이렇게 스케일이 큰 게임은 저도 처음이에요. 전 회장님을 돕는 일에 큰 행복을 느껴요. 그리고 채린씨를 만나 대화하는 일에도 즐거움을 느끼고요. 오늘 채린씨랑 대화해보니 회장님이 이 모든 NPC 캐릭터들을 어떻게 만드신 건지 점점더 궁금해지네요."

정한은 곱상한 얼굴과 달리 호탕한 웃음소리를 내며 아이돌 같은 제스쳐를 하고는 눈 깜짝할 사이에 로그아웃을 하고 사라졌다.

"뭐야 이 사람??"

빛이나

"저 좋은 말씀 좀 나누려고 하는데요~"

오늘도 지하철 근처 '도를 아십니까 人' 들을 물리치고 빠르게 퇴근 중인 채린.

그 남자를 다시 만난 그날 이후에도 채린의 일상은 똑같다. 여전히 회사에 다니며 스트레스를 받고 있으며 여전히 뮤지컬 배우가 되고 싶은 꿈은 숨길 수 없다. 그러나 채린은 더 이상 예전의 NPC가 아니다.

채린은 선택했다. 임무를 수행하기로.

"채린아! 여기야 여기!"

"보라야!! 아니 왜 이럴 때 지하철이 연착되냐고~"

"그래도 오디션이 저녁인 게 어디야! 안 늦었어! 얼른 들어가!"

채린이 퇴근 후 도착한 곳은 뮤지컬 오디션장.

"안녕하세요! '음악의 공주' 주인공 오디션을 보게 된 김채린입니다! 잘 부탁드립니다!"

내가 NPC임을 인정했다고 해서 평범한 인생임을 인정하고 굴복하는 것이 아니다. 내가 힘이 들 때 Help를 외칠 수 있고, 들어주는 사람이 있고, 내가 가야 할 곳을 알고 있는 사람이 있으므로 나는 오늘도 계속 꿈을 좇는 이 게임의 NPC가 될 것이다.

비산란 연어

조환석

조환석

어제를 보고 오늘을 살며 내일을 적습니다.

세상에 나오지 않은 생각을 펼쳐보고 싶습니다.

글을 쓰는 조환석입니다. 잘 부탁드립니다.

instagram: @hs.kopfkino

XX 9시 뉴스입니다.

현재 대한민국 연어의 포획량이 4년간 70% 가까이 급락했습니다.

연어의 포획량 감소로 인해 연어의 가격이 급등해 회 전문점 및 뷔페 식당에서는 자취를 감춘 지 오래입니다.

여러 환경전문가와 생물학자들은 연어의 비산란을 원인으로 지목하고 문제해결에 박차를 가하고 있습니다.

OOO 박사님. 전체적인 문제가 무엇이라 생각하십니까?

3년 전부터 연어가 알을 낳지 않기 시작했습니다. 알을 낳지 않으니 연어는 바다에서 강으로 올라오지 않습니다. 그래서 포획량이 줄어듭니다. 바다에서 잡기에는 많이 떨어져 있어서 포획에 힘든 점이 많습니다. 파생되는 문제점은 연어의 산란기인 9~11월 즈음에 곰이 연어를 먹기 위해 준비를 하나 연어가 올라오지 않으니 민가로 내려가 주민들에게 피해를 입힙니다.

OOO 박사님. 이 사태를 해결하기 위해서 정부가 해야 할 일은 ㄹ무엇이라 생각하십니까?

연어가 왜 알을 낳지 않는지 알고 그 점을 해결해야 한다고 생각합니다.

"어떻게 했으면 좋겠습니까?"

환경부 산하의 연어산란지원팀의 팀장은 박사의 말이 끝난 이후 라디오를 끄고 강기슭에서 연어를 뜯어먹고 있는 곰에게 물었다. 곰은 돌로 둘러싸인 강을 양쪽에서 감싸는 나무 중 하나를 등받이 삼아 앉아있었다. 강은 수심이 얕았으나 유속이 강해 사람이 서 있기에는 무리였다.

"연어가 알을 낳게끔 해야죠. 연어도 잘 안 올라와서 잡은 연어를 이렇게 남기는 것 없이 모조리 먹어요. 옛날에는 연어가 많아서 맛있는 부위만 먹고 버렸어요. 이제는 배고파서 그러지도 못해요. 연어가 더 안 올라오면 마을로 내려갈 수밖에 없어요. 요즘 마을 주민이니, 자영업자 사장인지 민원 많이 넣잖아요. 알아서 하세요. 우리는 마을 가서 뺏어 먹으면 되니까."

곰은 몸통이 없고 눈알과 뇌가 파진 머리 부분을 강에다가 무심하게 뱉었다. 연어의 머리에서 나오는 피는 잎맥처럼 퍼져나갔지만, 물살에 의해 이내 사라지고 말았다. 석양이 들 시간에 구름이 많이 껴 어둑

어둑한 강가에서 곰이 뱉어낸 연어의 머리는 팀장의 등골을 서늘하게 하기에는 차고 넘쳤다.

"알겠습니다. 조금만 기다려주세요. 올가을에 꼭 옛날처럼 연어가 올라오게끔 하겠습니다.

팀장과 곰의 기형적인 관계 형성은 팀장의 승진 욕구와 보호종인 곰의 생존 욕구가 결합하여 나타난 결과이다. 곰이 계속해서 민가에 침입해서 주민들이 피해를 호소하면 팀장의 인사고과에 영향을 준다. 연어의 포획량 감소도 팀장의 실적에 영향을 줘 팀장은 올바른 정신을 유지하는 게 신기할 따름이었다. 곰이 민가에 주는 피해를 줄이기 위해 곰을 사냥하기에는 곰은 멸종위기종으로 지정돼 죽었다가는 팀장이 짐 싸고 떠나야 할 판이었다.

"그렇게 해야 하지 않겠습니까? 저희도 먹고살아야 하는데, 서로 돕고 살아야죠. 저도 가족들이 있고 좋은 연어들 원 없이 먹이려고 하니까 도와주세요. 팀장님은 연어가 남대천에 올라오기만 하면 되잖아요."

곰의 안하무인인 태도는 팀장의 기질적인 겁에 기인한 것이었다. 입에 들어오는 연어만 먹고살며 사고를 하지 않는 곰에게 팀장은 첫 대면에 지레 겁을 먹고 모든 것을 털어놓았다. 곰은 자신이 멸종위기종이고, 자기 행동이 팀장에게 피해가 가는 것을 알게 되었다. 가장 중요한 것은 곰은 팀장이 급박하다는 것을 알아차렸다. 팀장은 한낱 미물인 곰에게 쩔쩔매는 꼴이었고, 다르게 보면 팀장이 연어를 곰에게 갖다 바치는 모양새로까지 보일 수 있었다.

연어를 남대천까지 올려 알을 낳게 하면 팀장의 맡은 임무는 마무리가 된다. 더 이상 곰에게 시달리지 않고 일터도 본부로 옮겨서 지금보다 훨씬 괜찮은 업무환경에서 일하게 될 것이다. 연어를 만나서 승부를 지으면 죽이 되든 밥이 되든 팀장에게 더 이상 동물들 때문에 머리 아플 상황은 나타나지 않을 것이었다.

"연어를 올라오게 설득하면 다시 여기로 오세요. 할 말이 있으니까."

"설득하면 다시 돌아오겠습니다. 그때까지는 제발 마을에 내려가지 말아 주세요. 부탁드립니다."

"곰은 뱉은 말을 지킵니다. 걱정 말고 다녀오세요. 반드시 연어가 남대천으로 올라와야 합니다. 명심하세요."

팀장은 곰의 말을 듣고 별다른 인사 없이 고개를 돌려 강을 빠져나갔다. 팀장한테 남아있는 일말의 자존심이 곰 앞에서 머리를 숙이는 작별 인사는 차마 허락하지 않았다. 떠나는 길에 허공에 욕을 하거나 돌을 발로 차는 작은 행위만을 허락했을 뿐이었다. 팀장의 계속되는 욕설과 발길질은 화를 삭이기는커녕 훨씬 더 돋구었다. 발길질로 파이는 땅들과 멀리 날라가는 돌들은 지속적인 소음을 유발했고, 욕은 점점 곰의 귀에 들어갈 만큼 소리가 커지기 시작했다. 올라가는 데시벨 만큼 화가 머리끝까지 차오른 팀장이 소리치려는 찰나에 정신이 되돌아왔다. 팀장은 자존심이 밥 먹여주지 않는다는 진실을 곰에게 사냥당할 목전에 알아차려 겨우 생명을 부지했다. 팀장과 곰의 관계에서 팀장은 파리목숨이다. 곰이 가만있지 않는 이상 팀장이 곰을 죽이거나,

곰이 팀장이나 시민을 죽이거나 팀장의 가치가 사라지는 것은 매한가지이다. 팀장은 우거진 나무 무리를 지나쳐 검은색 소형 SUV를 타고 고속도로로 진입했다.

팀장은 연어가 남대천에 올라오게끔 하는 방향을 사흘 밤낮 머리를 싸매며 고민했다. 팀장은 3년전 수산부에서 방류한 대량의 연어가 생각났다. 방류한 연어에는 연어의 회귀 경로를 알기 위한 칩이 박혀있다. 팀장은 수산부로부터 연어의 위치 정보를 받고 곧바로 바다로 나갈 준비를했다. 연어가 산란기에 접어드는 성어가 되기까지 약 4~5년의 세월이 필요하므로 지금이 아니면 산란을 하지 못하고 더 시간이 지나면 위치를 더 이상 파악할 수 없기 때문이었다. 팀장은 연어가 있는 북태평양 북부의 베링해로 출발했다.

베링해는 바다 위의 존재들에게 조금의 친절을 베풀지 않았다. 팀장은 대게잡이 배를 타고 출항했다. 대한민국에서 베링해로 가는 배편은 존재하지 않았다. 연어와의 대화를 위해 팀장은 무모한 도전을 감행한 것이었다. 겨울철 베링해는 알류샨저기압의 영향권 안에 존재한다. 쉽게 말하자면 바람에 모든 것이 날리고 계속해서 몰려오는 파도는 하나도 빠짐없이 선체를 격렬하게 적셨다. 영하 30도의 환경에서 물 한번 피부에 튀면 동상은 뻔했다. 목숨을 담보로 하는 20시간 가까운 대게잡이의 노동자들 사이에서 팀장은 선실 안에 틀어박혀 있었다. 생명이 오고 가는 노동 속에서 연어와 대화하기 위해 온 팀장은 노동자의 눈에 띄지 않게 최선을 다했다. 노동하지 않는 2~3시간의 짧은 시간 동안 팀장은 자신의 할 일을 시작했다. 노동자와 똑같은 복장을 하고, 안전장치를 하고 바다를 향해 소리쳤다.

"연어야 나와봐"

팀장의 일과는 20시간 동안 노동자의 뜨거운 눈총을 피해 다니고 남은 시간 동안 영하 30도의 환경에서 온몸을 씻기는 파도와 뼈를 으스러트리는 강풍을 버티면서 연어를 부르는 일이었다. 곰은 대 놓고 있을 만한 곳에 보였지만 바닷속 연어를 찾기에는 팀장에게 너무 고된 일이었다.

대게잡이 배가 베링해에 남아있는 기간은 총 석 달이다. 선내 생활이 현재 막바지로 접어들어 연어를 만날 수 있는 날은 4~5일이 전부였다. 팀장은 그 시간 동안 선글라스를 쓰지 않으면 실명될 것 같은 아침의 수평선, 조명을 켜지 않으면 한 치 앞도 안 보이는 암흑, 파도와 강풍을 이겨내며 대게를 잡아대는 선원들의 모습을 보았고 대게를 잡는 선원의 욕설과 지시의 소리, 하는 것 없으면 조금 도와달라는 선원들의 한숨 섞인 핀잔이 전부였다.

팀장은 쳇바퀴 굴러가듯 생활했다. 대게를 잡는 20시간 동안 밖에 안 나가고 안에 틀어박혀 있으니 시간개념이 틀어진다. 팀장이 잠깐 1시간을 자거나, 깜박하고 24시간을 밖도 안 보고 틀어박혀 있으면 하루의 개념이 무너졌다. 일어난 직후 지금이 오늘 낮인가 내일 낮인가 하는 혼란을 매일 겪었다. 팀장의 시계에는 날짜가 나오지 않아 선장실에 있는 달력을 보아야 오늘의 날짜를 알 수 있었다. 팀장은 이 혼란 속에서 한 달 정도 생활한 이후에는 조금의 여유를 즐길 수 있는 상황이 되었다. 선원들과 농담 따먹기도 하고, 직장, 가정생활 이야기도 많이 하였다.

배 타는 사람들이 으레 그러하듯 이혼한 사람도 많았다. 이혼하거나 이혼을 준비 중인 사람들 뿐이었다. 팀장은 자신이 연어를 만나지 못했을 때는 가정의 존속을 위협받을 상황이라 생각해 자신과 선원의 상황이 크게 다르지 않다고 느꼈다. 선원들은 자신의 자식들을 생각하면서 하루를 보냈다. 아내 사진은 없는 사람이 있어도 자식 사진은 모두가 다 가지고 배에 들어왔다. 자식 사랑이 투철했고, 팀장도 투철했다. 가정을 위해 자신의 한 몸 불 살려 대게잡이 배에 몸을 맡긴 것이었다.

"환경부 팀장이라 하셨죠? 정확히 무슨 일 때문에 이 배에 타셨어요?"

베링해에서의 흔치 않은 창창한 날에 다 같이 밥 먹는 자리에서 오지랖 넓고 조금 부족한 선원 한 명이 팀장에게 말을 걸었다. 자기 일하느라 바빠서 옆에 있는 사람이 왜 왔는지 이유조차 물어볼 여유가 없었던 것이었다. 조금은 퉁명스러웠다. 대게도 안 잡으면서 밥을 축내고 있었기 때문이었다. 선장은 선원들이 팀장에 대한 불만이 터질 때마다 팀장을 두둔했다. 탑승하기 위해 팀장 가정의 유지를 이유로 삼았기 때문이었다.

"연어를 만나기 위해 탔습니다."

선원들은 모두 폭소했다. 대게잡이 배에서 나오기에는 꽤 뜬금없는 말이었기 때문이었다.

"여기 대게잡이 배에요. 연어 같은 거 지금까지 한 번도 못 봤는데 헛수고하셨네요.”

“할 수 있어요. 해야만 해요. 연어는 여기 있고 언젠가는 만날 수 있으리라 생각해요.”

“연어를 왜 만나야 하죠?”

“연어가 산란하지 않아요. 그래서 연어의 존속을 위해서 제가 노력하는 것입니다.”

“연어를 먹기 위해서 가는 것도 있지 않아요?”

팀장은 선원에게 이 질문을 받고 말을 쉽게 잇지 못했다. 연어가 더 이상 알을 낳지 않아 세상에서 자취를 감춘다 해도 우리에게는 아무 일도 일어나지 않는다. 연어는 벌이 아니다. 벌은 식물의 수정에 크게 이바지한다. 괜히 벌이 없어지면 사람도 없어진다는 뉴스가 나오는 것이 아니다. 주변에서 연어를 지켜야 한다고 열성을 토하는 사람들은 연어를 먹고자 하는 사람들이었다. 팀장은 자신이 맡은 일에 의문을 제기하지 않았다. 생명 보존에 관련한 가치 있는 의견들에는 타당한 이유까지 들고 가기에는 과했다. 이유에 대한 의문은 생명 보존에 반하는 의견이 되었고, 일사천리로 팀장에게 이 일이 주어졌다.

“가족들이 연어를 많이 좋아해요.”

팀장은 더 이상 할 말이 없다는 듯 한숨을 쉬며 말을 했다. 선원들도 팀장의 말을 듣고 이 이상은 말을 건네지 않았다. 다 같이 조용히 밥 먹고 해산했다. 그날 이후부터는 팀장에게 사적으로 말 거는 사람은 없어졌다. 선원들은 말없이 팀장이 연어를 찾는 것을 도와주었다. 쉬는 시간에 몇명씩 나와서 연어를 부르고 찾는 것이 전부였지만 팀장에게는 큰 위로가 되었고, 선원들 일할 때에도 눈치 안 보고 선내에서 나와 연어를 찾기 시작했다.

많은 선원이 연어를 잡는데 정성을 들였지만, 연어는 보이지 않았다. 팀장에게 남은 날은 3일 남짓이었다. 선원들은 팀장을 계속해서 돕기에는 힘에 부쳤다. 이제 집에 갈 준비를 계속하고 있을 뿐이었다. 팀장은 선원에게 그동안의 노고에 대해 감사를 표했다. 어차피 혼자서 해야할 일이라 팀장은 생각하고 있었다.

팀장에게 시간이 많이 남지 않았다. 잠은 사치였다. 비바람을 무기 삼아 잠을 물리치고 대게잡이 옆에서 연어잡이를 시작했다. 날씨가 괜찮은 날에는 선원들의 도움을 받아 소형 보트를 타고 연어를 계속해서 찾았다. 연어는 보이지 않았고, 팀장의 속은 타들어 갔다. 부족한 시간에 마음은 급해지니 팀장은 무리하기 시작했다. 앞도 안 보이는 밤, 악천후의 상황 속에서도 물불 가리지 않고 보트를 띄웠다.

"괜찮겠어요?"

"괜찮아요. 괜찮아요. 저 걱정하지 않아도 돼요. 별일 없을 거예요. 좋은 소식 가지고 올게요."

"그럼 돌발상황 생기면 무전 바로 쳐야 해요. 도와주러 갈게요."

팀장은 선원들을 뒤로하고 보트를 타고 배를 떠났다. 칠흑 같은 어두움으로 둘러싸여 팀장은 보트에서 한 발짝 움직이기도 힘들 정도로 앞이 안 보였다. 손전등 하나로 앞을 비추면서 천천히 걷고, 연어를 찾아 나섰다. 바람이 너무 거세 팀장은 서 있기도 힘들었다. 높은 파도가 보트를 덮쳐 계속해서 물에 빠진 생쥐 꼴이었다. 팀장은 배를 나선 지

몇 분이 채 되기도 전에 자신이 한 선택이 아주 잘못되었다는 것을 깨달았다. 연어를 만나지 못해도 집에 돌아가면 어떻게든 살아갈 방법이 있을 것이고, 죽음까지는 절대 가지 않을 것이었다. 하지만, 팀장은 지금 타지에서 죽을 위기에 쳐해있다. 연어를 만나기는커녕 연어밥이 되기 일보 직전이었다. 파도는 더욱 거세지고 바람은 휘몰아쳐 손으로 옷을 잡고 있지 않은 이상 모자나 옷은 풀어 헤쳐졌다.

팀장이 보트 위에서 계속해서 서서 버티고 있는 것은 기적에 가까웠다. 보트는 계속해서 파도에 의해 들썩여 놀이기구를 타듯이 위아래로 흔들렸다. 놀이기구와의 차이점으로는 보트는 안전장치가 없다는 것 밖에 없었다. 계속 심해지는 파도에 팀장은 몸 전체를 보트에 붙이고 무전을 치기 시작했다.

"도와주세요. 파도가 너무 높아서 위험해요."

팀장은 계속해서 무전을 보냈지만, 답장은 없었다. 무전기가 고장났는지, 답장을 보내지 않는 건지 팀장은 알 수 없지만, 그것은 중요하지 않았다. 팀장은 지금 보트에서 떨어지기 직전이었다. 팀장은 파도의 움직임으로 인해 보트에서 튕겨 나가 보트에 연결되어있는 줄을 잡고 버티고 있었다. 팀장은 점점 몸에 힘이 빠졌고 줄을 계속 잡을 의지마저 잃어가고 있었다. 3개월간의 강행군을 견디기에 준비도 부족했고, 배 위에서의 생활은 선장의 건강을 심히 악화시켰다. 선장은 계속 버티고 버티다가 결국 파도를 직격으로 맞아 줄을 놓치고 말았다. 차가운 물 속으로 빠져 기도에 물이 들어와 숨을 쉬지 못하게 되고 결국 몸에 힘이 빠져 팀장은 혼이 빠진 채로 반짝반짝 빛나는 손전등만 쳐다보았다. 팀장은 물속으로 끝없이 들어갔다.

"괜찮아요? 정신이 좀 드세요?"

팀장은 갑자기 정신이 들어와 물을 계속해서 뱉어냈다. 주변 사람 무안하게끔 큰기침을 계속했다. 팀장이 정상적인 사고를 하기 위해서는 시간이 매우 필요해 보였다. 갑자기 일어난 상황에 옆의 말소리가 누구의 입에서 나온 건지 알아볼 겨를 없이 팀장은 정신없이 온몸을 흔들며 주변을 경계했다.

"뭐야. 누구야!"

팀장은 허공에 소리치면서 몸을 계속 흔들었다.

"진정하세요. 여기는 당신이 떨어진 보트 위입니다. 괜찮아졌다면 숨을 천천히 쉬어보세요. 심호흡 해보세요. 진정되면 바다를 보세요."

팀장은 출처 불분명한 소리를 귀담아들으면서 천천히 심호흡하기 시작했다. 경직됐던 몸은 풀리면서 안정을 되찾기 시작했고, 입에서는 물 대신 말이 잘 나오기 시작했다. 팀장은 몸을 일으켜 주위를 둘러보았다. 망망대해가 펼쳐져 있었다. 팀장이 배 위에서 계속 보던 풍경이었다. 팀장은 계속 머릿속에 자신의 상황에 대한 의문이 들었다. 보트에서 떨어진 상황이 선명한데, 자신이 살아있고, 또 그 보트 위에서 눈을 떴다는 것이 팀장의 주 의문이었다. 팀장은 의문에 대한 답을 찾기 위해 정신을 차리고 일어나 바다를 바라보았다.

팀장이 바라본 바다 위에는 입을 뻐끔뻐끔하며 떠 있는 연어가 한 마리 있었다. 팀장은 말문이 막혔다. 그토록 바라던 연어가 눈앞에 있지만, 연어를 잡기 위한 3개월의 시간 동안 팀장의 몸은 최선을 다했지만, 시간이 지날수록 마음은 거의 포기를 한 상태였다. 팀장은 짧은 시간 동안 아무 생각 없이 멍을 때렸다.

"정신이 들어요?"

"듭니다. 고마워요. 저 구해주신 겁니까?"

"물에 빠져있어서 제 동족들과 같이 보트로 올렸습니다."

"감사합니다. 혹시 연어입니까?"

팀장은 직업적 의식을 발휘하여 어려운 상황에서도 맡은 일을 해내기 위해 반짝거리는 눈으로 연어에게 물어봤다. 목숨을 걸고 했던 일의 성공에 대해 반은 완성된 것이었다.

"연어 맞습니다. 제가 연어무리를 이끌고 있습니다."

"그럼 대장 연어라 불러도 될까요? 저는 연어산란을 늘리기 위해 파견 나왔습니다. 편하게 팀장이라 부르면 되겠습니다."

"불러도 됩니다. 연어산란을 위해 오셨다고요? 정확히 설명해 주실 수 있어요?"

"연어가 바다에서 강으로 산란을 하기 위해 올라오는 것이 3년 전을 기점으로 많이 줄었습니다. 연어의 종족 보존을 위해 왔습니다. 연어의 고민을 듣고 그것을 해결해주고 연어는 편히 알을 낳습니다. 너무 좋지 않나요?"

희망에 찬 팀장의 얼굴로 말하는 환상적인 이야기는 연어의 표정을 더욱 어둡게 만들었다. 연어는 잠시 슬픔에 잠긴 얼굴로 침묵을 지켰다.

"저는 다시 돌아가지 않습니다. 어렸을 적에 인간들이 강에 저를 풀었습니다. 저는 편안히 성장한 환경에서 풀린게 마음에 들지 않았습니다. 익숙하지 않은 환경에 몸은 계속해서 긁히고, 동족들이 옆에서 죽는 것을 보았습니다. 몸은 편치 않았고, 바다에 도착했을 때는 모두가 웃음을 잃고, 말을 잃었습니다. 함께 성장한 동족들이 물어뜯기는 게 더는 보기 싫었습니다. 저는 돌아가지 않아요. 길러준 인간들에게 고마움은 계속 느끼고 있습니다."

팀장은 연어의 마지막 말에 집중했다. 인간들에 대한 고마움, 팀장은 연어의 감사함에 고마움은 전혀 느끼지 못하고 이용해 먹을 마음을 굳게 다짐했다. 연어가 죄책감을 느끼게 해서 자신의 마음대로 움직이게 하려고 팀장은 말을 생각해냈다.

"저도 그 힘든 마음을 깊이 이해하고 있습니다. 하지만, 슬프게도 그것은 자연의 이치입니다. 잘 모르시겠지만 저희 인간도 맹수들에게 잡아 먹히고 살점을 뜯깁니다. 당신의 도움이 없었다면 저는 상어 밥이 되었을 겁니다. 그래도 인간은 아이를 낳습니다. 해야 하는 일이니까요. 연어를 다시 볼 수 없다는 것이 저희 인간들에게 큰 슬픔입니다. 강으로 올라와 주실 수 있겠습니까?"

연어는 팀장이 말하는 슬픔으로 자신의 비통함을 크게 느꼈다. 대장 연어는 살아온 지금까지의 세월 동안 동족들이 인간에게 먹히는 것을 알지 못했다. 연어에게 인간들은 자신들을 험난한 세상 속에서 맹수들의 공격을 받지 않게 키워준 고마운 존재였다. 대장 연어는 팀장의 말이 자신을 위해서만 하는 가증스러운 말이라는 것을 깨닫지 못했다.

"죄송합니다. 그래도 올라가지 않습니다. 저는 이미 한번 강을 올라갔다 왔습니다. 팀장님의 말대로 알을 낳아야 하니까요. 생명체의 본능입니다. 그렇게 몸을 이끌고 강으로 올라갔습니다. 올라가는 동안 무슨 일이 일어났는지 아십니까? 동족들이 곰이나 매에게 뜯어먹히는 모습을 바라보았습니다. 그리고 알을 낳으면 우리는 하얗게 죽어갑니다. 모두 힘이 없어져요. 그렇게 또 먹힙니다. 저는 그걸 다 봤어요. 뼈만 남습니다. 저는 다시 바다로 돌아갔습니다. 그리고 모두에게 전했습니다. 내가 겪은 일, 우리가 겪을 일들을요. 그렇게 해서 올라가지 않았고, 제가 무슨 염치로 다시 올라가자고 말을 합니까."

"제가… 제가 보장하겠습니다. 안전하게 알을 낳을 수 있습니다. 제가 하는 일의 목적이 이것입니다. 아무도 다치지 않게 할 수 있습니다. 제가 하는 일이고, 해야 하는 일입니다. 대장 연어님은 제가 보기에 많이 정신적으로 성숙한 분이십니다. 타인에 대한 고마움과 미안함을 느끼고 있습니다. 세상에 어두움만 존재하지 않습니다. 그 어두움이 있어서 빛을 느낍니다. 인간에게 고맙지 않습니까?"

"매번 감사함을 느끼고 있습니다."

"좋은 감정들을 후손들에게도 느끼게 해주는 겁니다. 서로를 위하고 사랑하는 것, 좋은 마음을 다 같이 느끼는 것이에요. 제가 곰이나 매 같은 동물들 싹 다 정리하고 길도 싹 다 매끈하게 해 놓을 겁니다. 그냥 몸만 오시면 됩니다. 절 살려주신 은혜로 갚겠습니다. 아무 일 없을 겁니다. 가족이 있는 행복을 대장님도 함께 느꼈으면 좋겠습니다."

팀장의 말을 연어의 마음을 크게 동요시켰다. 연어가 겪어야 할 어려움을 다 해결해주었기 때문이다. 연어들에게 알을 낳는 것은 일종의 본능이다. 베링해에서 남대천으로 다시 회귀하는 과정은 무의식적으로 일어난다. 의도적으로 막을 수 없는 과정 중 하나였기 때문이었다. 연어는 감사함의 의미로 물을 뿜었다.

"알겠습니다. 설득해보겠습니다. 아마 다시 돌아갈 것 같네요. 모두가 아마 기대하는 일일 겁니다. 계속 그렇게 살 노릇은 안되니까요. 기회 주셔서 감사합니다. 저는 아마 후손들을 보지 못하겠지만, 다른 연어들은 볼 수 있겠네요. 그거면 충분합니다. 그러면 팀장님은 이제 어떻게 돌아가십니까?"

"저요? 그러게요."

"팀장님 어디 계세요?"

무전기의 알림음이 들린 후에 익숙한 선원의 목소리가 보트 엔진 근처에서 들렸다. 팀장은 작별인사를 뒤로한 체 바로 무전기를 찾는 일에 열중했다. 무전기는 계속해서 소리를 내고 있어 찾는 것은 어렵지 않았다.

"들리나요? 어디에요?"

"팀장님 침착하게 들으세요. 저희가 팀장님 찾을 수 있게 도와주시면 돼요."

선원은 팀장이 자신의 위치를 표시할 수 있게끔 보트 안에 있는 조명탄의 위치를 알려주고 총의 사용법을 알려주었다. 연어는 팀장에게 마지막 인사를 하기 위해 기다리고 있으나 팀장은 주변을 신경 쓸 겨를 없이 자기 일에 최선을 다하고 있었다. 팀장은 결국 조명탄을 찾고 하늘을 향해 쏘았다. 조명탄이 날아간 지 몇 분 만에 멀리서 배가 오는 소리가 들렸다. 팀장은 그제야 자신의 옆에 연어가 계속 남아있는 것을 깨달았다.

"아! 죄송합니다. 제가 너무 급해서요. 가신 줄 알았습니다."

"아닙니다. 그게 가장 중요한 일이잖아요. 당연히 이해합니다. 이제 집으로 돌아가시겠네요."

"그렇습니다. 좋은 결정 내려주셔서 감사합니다. 좋은 일만 있을 겁니다. 제가 길을 다 터놓고, 동물들도 다 정리해 놓겠습니다. 이제 저는 돌아가 보도록 하겠습니다."

팀장은 연어와의 짧은 작별 인사를 하고 뒤이어 자기에게 가까이 다가온 배를 탔다. 팀장은 지금의 상황이 믿기지 않았다. 생명의 끝자락에서 자신이 만나야 할 연어를 만났고, 연어는 팀장의 목숨을 살려줬다. 심지어 자신의 계획대로 연어는 움직이게 되었다. 짧은 시간에 팀장이 연어를 설득할 수 있었던 것은 거창한 이유가 없었다. 단지 팀장은 연어에게 감정의 공감, 본능의 수용을 보여주었다. 팀장은 결국 목적을 달성했고 집에 돌아가는 배에 탑승하게 되었다. 팀장은 선원에게 간략하게 자신에게 있었던 일을 말해주었다. 물에 빠져 죽을 위기에 연어가 자신을 구해주었고, 연어를 자기 뜻에 동참하게 한 언변에 대해 거창하게 설명했다. 선원들은 쉽사리 팀장의 말을 믿지 않았다.

"거짓말하지 마세요. 팀장님. 그냥 보트에서 누웠다 왔으면서."

"마음대로 생각하세요. 대게만 잡는 사람들이 뭘 알겠습니까."

팀장은 하염없이 웃음만 나왔다.

XX 9시 뉴스입니다.

4년간 지속된 연어 기근이 드디어 끊어질 예정입니다. 현재 베링해에서 대한민국으로 연어가 다시 몰려오고 있다는 소식입니다. 그토록 바라왔던 식탁에서 연어를 먹을 수 있는 날이 다시 오게 될 것 같습니다.

OOO 박사님, 연어 회귀 관련한 정확한 설명을 해주실 수 있겠습니까?

네 지금 화면에 보이는 이 빨간 점들이 보이십니까? 이 빨간 점은 3년 전 방류한 연어의 위치입니다. 현재 대한민국으로 오고 있습니다. 산란하러 온다는 뜻입니다. 3년이 지난 지금 방류한 연어들은 아마 산란기에 들었을 겁니다. 연어가 다시 회귀한 이유는 정확히 알 수 없습니다. 중요한 것은 연어가 돌아와 많은 변화가 생긴다는 것입니다. 예를 들어 민가에 배고픈 곰이 가지 않고, 타격이 있었던 일식 관련 자영업자들이 다시 판매에 탄력을 받을 수 있다는 것입니다. 좋은 일인 거죠.

좋은 말씀 감사합니다. 그럼 현장에 나가 있는 연어산란지원팀의 정

연수 팀장을 연결해 보도록 하겠습니다.

정연수 팀장입니다. 저는 지금 연어가 곧 올라오게 될 강원도 강릉의 남대천에 나와 있습니다. 연어는 저기 보이는 하류에서 이 길을 따라 상류로 올라갑니다. 연어는 이 과정에서 곰이나 매에게 잡아 먹힙니다. 사람에게 잡힐 수도 있습니다. 하지만 이런 역경을 연어는 이겨내고 알을 낳습니다. 연어는 이곳에서……

"어때요?"

팀장은 설치된 카메라를 끄면서 공허하게 곰에게 물었다. 곰과 팀장은 처음 서로 만났던 남대천의 한 길목을 대칭으로 앉아있었다. 팀장은 곰을 향해 씁쓸한 미소를 보이면서 대답을 기다리고 있었다. 곰은 태연히 가져온 체리를 씹어먹으면서 무표정으로 팀장을 바라보았다.

"이 어려운 일을 결국 해냈네요. 대단하십니다. 정말."

"말이라도 고맙네요. 어때요? 이렇게 되니까 좋습니까?"

"뭐가 좋아요?"

"연어가 올라오니까 막 먹을 수 있게 됐잖아요. 뭘 모른 척 말해요?"

"팀장님이 서로 좋자고 한 행동입니다. 왜 그렇게 저를 향해 강하게 말하는지 이해가 되지 않네요. 연어는 왜 올라오게 됐습니까?"

"연어가 올라오게끔 강도 정비하고 포식자들을 정리하기로 했습니다. 그렇게 보장했어요."

팀장의 말을 들은 곰은 잠깐 생각에 빠졌다. 연어를 먹는 포식자는 바로 곰 자기 자신이기 때문이었다. 곰은 팀장의 저의를 파악할 수 없었다. 을의 위치를 표방했던 팀장이 갑자기 돌변해 사람들을 동원한 후, 자신을 제거할 작은 가능성이 존재했기 때문이었다.

"그렇게 하실 겁니까?"

"정리요? 거기 있는 연어 우두머리가 정말 착해요. 말투 자체가 상냥하고 이해심이 깊었어요. 그에 비해 당신은 어떻습니까? 제가 어떤 결정을 내릴 것 같습니까?"

"아마도 저일 것 같네요."

곰은 말을 짧고 여운 있게 끝냈다. 일일이 핑계를 대거나 자신이 아닌 연어가 죽어야 한다는 당위를 제시했다가는 자신이 결국에 연어밥이 될 수도 있기 때문이었다. 곰은 이 상황을 타개할 말을 생각하기 시작했다. 팀장에 대한 존중, 연어에 대한 존중을 저울질하며 어느 것이 더 자신의 안위에 동정심을 줄지 생각했다.

"뭘 그리 그렇게 생각하십니까? 어울리지 않게. 제가 이제 당신을 죽일 수도 있다고 생각해요? 안 죽입니다. 보호받잖아요. 연어와의 약속은 중요하지만, 자연의 흐름은 거스를 수가 없어요. 당신이랑 연어는 제가 통제할 수 없습니다. 연어는 일주일 안에 여기로 올 것입니다. 마음대로 하세요. 저는 이제 여기 얼씬도 하지 않을 겁니다. 진절머리 나요. 최악입니다."

팀장은 말을 끝낸 다음 멀리 널브러져 있던 카메라와 마이크를 챙기기 시작했다. 곰은 먹던 체리를 바닥에 두고 조용히 짐을 챙기는 팀장을 바라보았다. 팀장은 이전과 다르게 곰의 영향을 받지 않게 되었다. 다시 차로 가는 길은 팀장의 발길질로 돌들이 쌓여 있는 곳은 돌이 없어져 황톳빛의 흙이 모습을 드러내었고, 풀이 있는 곳은 벌초가 된 듯이 양쪽으로 가지런히 풀들이 쌓였다. 팀장은 흙 묻은 신발을 털고 운전석에 탑승했다.

팀장은 실제로 남대천에 남은 미련 따윈 없었다. 대장 연어의 은혜는 자연의 이치, 약육강식이라는 개념 아래에 희석되었고 적지 않은 미안함에 오히려 화를 내며 발걸음을 돌렸다. 곰은 팀장이 떠나자 지니고 있던 두려움은 말끔히 사라졌다. 연어가 몰려오는 대로 잡아먹을 채비를 하기 시작했다.

현재 남대천으로 올라오는 연어들은 이 사실을 꿈에도 모르고 있었다. 팀장이 마중 나와 있는 것을 예상할 수는 있겠지만, 곰이 기다리는 것은 팀장의 말과 정반대의 상황이기 때문이었다. 몰려오는 연어의 양은 3~4년 전 회귀량보다 배는 더 많았다. 종족 번식의 갈망과 대장 연어의 설득이 수많은 연어를 남대천으로 불러 모았다. 연어에겐 남대천은 시작이자 끝이었다.

연어 떼의 규모는 실로 거대해 크메르 제국의 톤레삽 호수를 연상케 했다. 물고기가 넘쳐서 발디딜 틈이 없었던 톤레삽 호수는 남대천에서 실현됐다. 수많은 연어로 남대천의 밑바닥은 더 이상 보이지 않았다. 연어가 너무 많아 하천의 수용량이 한계에 달았다. 연어는 결국 하천에서 튕겨 나와 수분이 있는 돌, 풀 위로도 흘러 내려갔다. 곰 종족들은 힌두교의 바이샤였다. 그물을 펼치기만 해서 수많은 연어를 손쉽게

잡듯이 곰들은 입을 크게 벌렸다. 연어는 본능적으로 들어가면 안 된다는 것을 알아차린다. 하지만 연어들은 뒤에서 미는 힘으로 인해 어두운 터널 속으로 저항 없이 들어갈 수밖에 없었다. 연어가 뒤에 연어들을 원망하겠는가. 결국 그 연어도 동굴 속으로 빠져들어 갈 뿐이었다. 연어에겐 속수무책의 학살 현장이고 곰에겐 수년의 굶주림을 벗겨내 줄 환희의 현장이었다. 연어는 끝도 없이 밀려들었다. 연어를 계속 먹었다간 연어가 역으로 곰을 죽여버릴 수 있을 때까지 배로 들어갔다. 섭취를 끝낸 곰은 강에서 나왔다. 그리고 마치 사람같이 꼿꼿하게 앉아 연어를 천에서 하나씩 앞발로 꺼내먹었다. 환희의 현장은 유희의 현장으로 바뀌었다. 곰은 급할 필요가 없었다. 연어가 끝도 없이 밀려올 것을 곰은 미리 알고 있기 때문이다. 곰은 연어의 껍질만 물어뜯고 미련 없이 연어를 다시 하천으로 버렸다. 하천은 점점 빨개졌다. 하천의 물로 피를 희석하기에는 곰이 계속해서 만들어내는 껍질 벗겨진 연어와 수많은 연어에서 나오는 피는 물의 희석 범위를 넘어섰다. 하천은 더 이상 맑지 않았다. 하천은 한 번도 목격하지 못한 일로 인해 생겨난 연어의 공포로 점철됐다. 정신없이, 쉴 새 없이 흐르는 흐름 속에서 연어는 계속해서 자신의 옆으로 떨어지는 껍질 벗겨진 연어를 보고 지나쳤다.

대장 연어는 무리를 이끌고 가면서 아무 말도 하지 못했다. 쓰린 눈물을 하천 속에 흘리고 몸을 흔들면서 상류를 향해 나아갔다. 곰의 습격이 시작된 후, 자신을 쳐다보는 다른 연어의 시선들, 그리고 껍질이 없이 피 흘리며 하천으로 날려 들어오는 연어의 시선, 그리고 눈을 파먹혀 파악할수 없는 연어의 시선. 대장 연어는 다시금 마주한 공포와 죄책감에 몸을 부르르 떨었다. 남대천으로 거슬러 올라가는 길은 바다에서 머문 3년의 세월과 비교할 수 없이 길었다. 눈알이 파먹힌 연어가 옆을 지나가는 찰나의 1초는 대장 연어에게 1년 가까이 아니면 살아온 세월보다 더 긴 영원이었다.

연어가 지나간 길은 바닥이 보이지 않을 만큼 붉어졌다. 피가 넘쳐 흐르고 있었다. 흐르는 피는 주변의 동물들을 하천으로 유혹했다. 여러 맹금류, 여우, 심지어 인간까지 하천으로 왔다. 하천은 하늘을 비행하는 맹금류의 소리, 연어가 뜯어 먹히는 소리, 일사불란하게 연어잡이를 시키는 인간의 말소리 그리고 연어의 비명으로 가득 찼다. 하천은 하류에서 올라오는 연어를 잡는 인간, 양쪽에서 연어를 건져 먹는 여우와 곰, 먹다 남은 찌꺼기를 뜯어먹고 재미 삼아 연어를 발톱으로 건져 먹는 맹금류로 이루어져 지옥이 있다면 바로 이곳이었다. 연어의 지옥이었다. 3년 만에 온 그들만의 천국을 그들은 행복하게 만끽하고 있었다.

시간이 얼마나 지났을까. 처참한 참사를 버텨낸 대장 연어와 연어무리는 남대천 상류에 결국 도착했다. 연어무리는 산란하기 위해 몸을 부르르 떨기 시작했다. 알을 낳기 위한 구덩이를 파고, 서로의 짝을 찾기 시작했다. 하지만, 대장 연어는 몸을 떨지 않았다. 알을 낳으려는 노력을 하지 않고 있다. 대장 연어는 말없이 자신이 왔던 길을 되돌아봤다. 연어들은 상처 입고, 피를 뒤덮인 채로 계속해서 올라오고 있었다. 대장 연어는 물살의 흐름에 몸을 맡겨 밑으로 내려가기 시작했다. 물살에 흘러가는 대로 포식자가 있는 곳으로 향했다. 연어들은 대장 연어가 내려가는 모습을 자신의 시야에서 사라질 때까지 지켜보았다. 대장 연어가 다시 내려가는 이유를 알아내기에는 삶의 시간이 짧고 경험도 부족했다. 대장 연어가 후회, 원망, 무력함 등의 감정을 느꼈을 거라고 생각하지만 더 이상의 생각은 의미가 없었다. 대장 연어는 수많은 연어의 신뢰를 바탕으로 무리를 남대천으로 끌고 올라왔다. 대장 연어는 팀장을 믿었다. 연어가 더 이상 억울하게 죽지 않고 알을 산란할 수 있는 미래를 경험할 수 있다는 것을. 대장 연어는 바다로 향했다. 남은 연어들은 산란에 모든 에너지를 쏟고 몸이 하얗게 변해 죽음을 기다리기 시작했다. 대장 연어가 바다로 다시 가서 모든 진실을 남은 연어들에게 다 말할수 있을지는 아직도 학살을 자행하는 포식자들에게 달렸다. 연어들을 죽어가기 시작했다. 살점은 저절로 뜯어져 나가 바다로 흘러 내려갔다. 연어들의 사체들은 대장 연어가 지나갔던 길을 따라 바다로 내려갔다.

징검다리

발행 2024년 5월 10일
지은이 우아성, 아롬, 최마리, 진용, 이세원, 은초희, 올린, 조환석
라이팅리더 양기연
디자인 윤소정
펴낸이 정원우
펴낸곳 글ego
출판등록 2019.06.21 (제2019-000227호)
주소 서울시 강남구 강남대로 118길 24 3층
이메일 writing4ego@gmail.com
홈페이지 http://egowriting.com
인스타그램 @egowriting

ISBN 979-11-6666-484-7